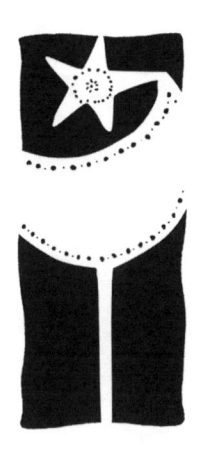

ORE IEIÊ Ô!

coleção orixás
OXUM

A MÃE DA ÁGUA DOCE

Luís Filipe de Lima

Rio de Janeiro
1ª edição | 4ª reimpressão
2024

Pallas

Copyright© 2007
Pallas Editora

Editor
Cristina Fernandes Warth
Mariana Warth

Coordenação da coleção
Helena Theodoro

Produção editorial
Christine Dieguez
Fernanda Barreto

Preparação de originais
Silvia Rebello

Revisão
Izabel Cury

Diagramação
Ligia Barreto Gonçalves

Concepção gráfica de capa, miolo e ilustrações
Luciana Justiniani

Todos os direitos reservados à Pallas Editora e Distribuidora Ltda. É vetada a reprodução por qualquer meio mecânico, eletrônico, xerográfico, etc. sem a permissão prévia por escrito da editora, de parte ou da totalidade do conteúdo e das imagens contidas neste impresso.

Este livro foi impresso em dezembro de 2024, na Gráfica Edelbra, em Erechim.
O papel de miolo é o offset 75g/m2 e o de capa é o cartão 250g/m2.
A fonte usada no miolo é a Gill Sans 10/17.

CIP-Brasil. Catalogação-na-fonte
Sindicato Nacional dos Editores de Livros, RJ

L698o
1ª ed.
	Lima, Luís Filipe de, 1967-
	    Oxum : a mãe da água doce / Luís Filipe de Lima ; [ilustrações Luciana Justiniani]. – Rio de Janeiro : Pallas, 2008.
	    il. - (Orixás ; 6)
	
	    Contém glossário
	    Inclui bibliografia
	    ISBN 978-85-347-0401-4
	
	    1. Oxum (Orixá). 2. Orixás. 3. Candomblé. 4. Cultos afro-brasileiros.
	I. Título. II. Série.

07-0681	CDD 299.67 CDU 299.6.21

Pallas Editora e Distribuidora Ltda.
Rua Frederico de Albuquerque, 56 – Higienópolis
21050-840 – Rio de Janeiro – RJ
Tel./Fax: (21) 2270-0186
E-mail: pallas@pallaseditora.com.br
www.pallaseditora.com.br

A Muniz Sodré e Raquel Paiva.

SUMÁRIO

APRESENTAÇÃO ♦ 11

INTRODUÇÃO ♦ 15

1 O ORIXÁ ♦ 27

2 PRINCIPAIS ATRIBUTOS ♦ 43

3 RELAÇÕES MÍTICAS ♦ 69

4 MITOS ♦ 83

OXUM E ORUMILÁ ♦ 85

OUTRA HISTÓRIA DE OXUM E ORUMILÁ ♦ 87

SEM OXUM, NÃO HÁ FILHOS ♦ 88

OXUM, A COZINHEIRA ♦ 89

A DESAVENÇA ENTRE OXUM E OBÁ ♦ 90

OUTRA VERSÃO: OBÁ E O TAPETE DE ROSAS ♦ 93

OXUM ACALMA OIÁ E OBÁ ♦ 94

OXALÁ E A PENA VERMELHA ♦ 95

OXUM, MÃE DA BELEZA ♦ 99

A INVENÇÃO DOS COSMÉTICOS ♦ 101

TUDO É DE OXUM? ♦ 102

104	♦	A PROTETORA DAS CRIANÇAS
108	♦	OXUM NAVEZUARINA CEGA, MAS CURA
110	♦	OXUM, PADROEIRA DE OXOGBÔ
111	♦	A DANÇA DO AMOR SALVOU A HUMANIDADE
115	♦	OXUM SALVA O MUNDO NA FORMA DE UM URUBU
117	♦	DEUSA DO AMOR, OXUM É MULHER DE UM HOMEM SÓ
118	♦	MUITOS AMORES, MUITAS HISTÓRIAS
119	♦	OXUM VAI À GUERRA
120	♦	GALINHA-D'ANGOLA, O PRIMEIRO IAÔ
120	♦	OXUM IANLÁ FAZ EGUM DANÇAR
123	♦	**5 QUALIDADES**
161	♦	**6 FESTAS E OFERENDAS**
173	♦	**7 REZAS, INVOCAÇÕES E ORIKIS**
183	♦	**8 CANTIGAS**
201	♦	**9 FOLHAS**
221	♦	**GLOSSÁRIO**
237	♦	**REFERÊNCIAS BIBLIOGRÁFICAS**
239	♦	**SOBRE O AUTOR**

APRESENTAÇÃO

Falar sobre o texto de Luís Filipe de Lima sobre Oxum, um dos orixás mais cultuados e importantes do panteão afro-brasileiro, é tarefa prazerosa e fascinante. Como coordenadora da coleção *Orixás*, que procura evidenciar a relação profunda que temos nos muitos aspectos de nossa vida com a sabedoria que emana da cosmogonia afro-brasileira — presente nos rituais e mitos sobre os orixás, vodus ou inquices —, sinto-me duplamente honrada em poder viajar pelas páginas deste livro, que trata do nosso sagrado, penetrando assim, cada vez mais, na cultura de nossos ancestrais. Luís Filipe, estudioso de nossas tradições, músico de imensa sensibilidade, dá continuidade às publicações sobre Xangô, Logunedé, Euá, Obá e Iroco, falando da nossa Mãe da Água Doce, poderosa iabá que garante a continuidade da espécie humana, que preserva a vida: Mãe Oxum, pássaro e peixe, símbolo da fertilidade, da fecundidade e da procriação. Falando dessa força da natureza, o autor nos mostra de uma forma muito completa e diversificada os diferentes meandros desse poder de criar, evidenciando de que modo a herança cultural africana se preservou, apesar da condição de escravos a que os afro-descendentes foram reduzidos. Luís Filipe de Lima mostra o histórico papel representado pela Mãe da Água Doce nas diversas nações e regiões do povo-de-santo, com os diferentes nomes pelos quais se fez conhecida.

Para a sociedade brasileira o entendimento da natureza profunda dos orixás femininos é de grande relevância, já que temos os resquícios de uma ideologia machista e sexista no país, herdeira, em parte, do positivismo de Augusto Compte. Assim, tanto a tradição de Angola e Congo (banto) quanto a da Nigéria (nagô) têm importância fundamental na valorização da mulher que cuida da cozinha e dos filhos, pois indicam Oxum como a encarregada da cozinha, entendendo-se o cozinhar como um ato sagrado e os alimentos sendo tratados de forma ritualística; assim, evidencia-se o nível de consciência dos rigores gastronômicos da vasta culinária dos terreiros de candomblé, caboclo e umbanda, sendo também este o aspecto que irá determinar o grau de identidade de cada espaço onde a cultura negra irá se manifestar.

O espaço da cozinha é de alto significado para os orixás, para a sua manutenção e para a renovação do axé – elemento vitalizador das propriedades e domínios da natureza –, espaço em que o sagrado se aproxima do homem pela boca. Por esta razão as mulheres de Oxum, responsáveis pela preservação da vida, são escolhidas. A cozinha é o espaço onde se transforma morte em vida, usando-se os temperos, a água, o azeite e o fogo. O autor assinala com muita propriedade a maneira como o conhecimento dos mitos e das diferentes formas que Oxum pode tomar nos auxilia no entendimento da natureza e da nossa própria vida de relação. Aprofundar-se nos saberes sobre Oxum é mergulhar em águas profundas que nos levam a um grande encontro com nossa ancestralidade e com nossa própria natureza. Cantar as cantigas de Oxum, dançar no seu ritmo, é mergulhar na sensualidade e na sedução que ela nos oferece, entendendo o ritmo feminino do Ijexá como a dança da sedução, do encontro e da realização. Apreciar este trabalho sobre Oxum é realizar um passeio mágico, usando como asas para o vôo a tradição de base africana que nos permite uma incrível visão do imaginário social que rege e regula o nosso espaço sagrado. É um verdadeiro presente.

Helena Theodoro
Feveveiro de 2007

Introdução

Escrever este pequeno livro sobre Oxum foi tarefa das mais agradáveis, mas nem por isso algo descomplicado. Afinal, tanto para o pesquisador quanto para o praticante – e eu me incluo nas duas categorias – as religiões afro-brasileiras são terreno pantanoso, movediço, cercado de referências imprecisas e contraditórias. "Candomblé é coisa de maluco. Se você não prestar atenção, acaba enrolado", ouvi dizer certa vez um mais-velho.

O comentário não deixa de ter sua razão. Primeiro, porque acaba sendo um desafio, em plena era da informação, lidar com um saber arcaico e tão visceralmente embebido na tradição oral. Depois, porque – lembra o poeta Ildásio Tavares, obá de Xangô – "no candomblé, como em toda religião iniciática, aprende-se primeiro para se entender depois", o que contrariaria nossos hábitos escolásticos de ocidentais. Sem falar na dimensão do segredo, obstáculo igualmente considerável, nem sempre uma mera desculpa para se concentrar o poder religioso na mão dos que detêm o conhecimento. O *segredo* do candomblé, antes, nasce de uma exigência legítima das divindades: quebra-se o segredo, enfraquece-se o axé.

Outro motivo de encrenca: a hoje extensa bibliografia sobre os cultos afros, bastante heterogênea, capaz de despistar até mesmo quem é do ramo. Extensa, heterogênea e sobrevalorizada, diga-se. Há aqueles que, sem ter acesso ao saber iniciático, recorrem aos livros (e hoje à Internet) para suprir suas necessidades de conhecimento do ritual. É o que se chama pejorativamente no candomblé de "catar", ou seja, colecionar ensinamentos de maneira indistinta fora de seu terreiro de origem. Como observa minha ialorixá Babamin, Antonietta Alves, com a santa paciência dos filhos de Oxalufã: "Depois esses candomblezeiros modernos ficam fazendo santo à custa de livro, aí dá no que dá."

Mais um sobressalto: estão surgindo novas correntes religiosas no panorama afro-brasileiro, em especial a interessante tradição cubana, que vem ganhando terreno com seu culto a Ifá, ao lado do chamado "candomblé reafricanizado", tentativa de reaproximar o rito nagô-kêtu de suas matrizes iorubás. Neste último caso, também com a ajuda dos pesquisadores que já há anos divulgam as origens africanas do candomblé e religiões afins (em válida iniciativa, é bom dizer), contribui-se entretanto para a disseminação de valores nem sempre bem compreendidos pelo povo-de-santo. Muitos acabam traduzindo "africano" como "puro", "legítimo", "mais forte"... esses equívocos.

Assim é que, por exemplo, a grafia iorubá tem sido utilizada fora de contexto, aplicando-se a rituais e divindades que, embora tenham origem africana, já assumiram sólida identidade afro-brasileira. Não encontrei qualquer pessoa de terreiro, seja no Rio de Janeiro ou na Bahia, que se utilize da acentuação tonal iorubá no uso corrente das expressões nagôs – muito embora alguns antigos ainda tragam certo sotaque africano quando pronunciam rezas, invocações e cantigas. Em contrapartida, pululam anúncios e cartões-de-visita de pais e mães-de-santo de "Òşalá", "Yemoja" e "Òşóòsi".

Aviso, portanto, que a Oxum de que tratam estas páginas é assim: com xis, mesmo. E muitas vezes pronunciada Ó-xum, como nos terreiros baianos, com a vogal inicial aberta que é herança direta dos antepassados nagôs. Claro, isto não impede que, para que a possamos conhecer melhor, pesquisemos também Òşun (a "original", deusa do rio de mesmo nome que corre em terras nigerianas), Ochún, como se apresenta em Cuba, e mesmo Oshun, tal qual é conhecida nos países de língua inglesa (incluindo, paradoxalmente, a moderna Nigéria).

Recorro novamente às palavras de Ildásio Tavares: "Nos seus fundamentos e princípios, o candomblé é o mesmo em qualquer lugar do Brasil, da América ou da África. Os seus aspectos exteriores variam, todavia sempre conduzindo a um mesmo conteúdo. (...) Candomblé na África, candomblé na América são dois rumos da mesma forma de ver o mundo, maneiras diferentes de administrar uma visão de mundo igual, não-cartesiana, holística, integrada, em que as fronteiras entre o sagrado e o profano não podem ser delimitadas com base em circunstâncias ou exterioridades" (Tavares: 212).

Este raciocínio vale não apenas para o cotejo do candomblé brasileiro com as tradições africanas que lhe serviram de base, mas também para a observação do vasto panorama das religiões afro-brasileiras. Ainda com Ildásio: "Debaixo de toda e qualquer aparência que modifique a exterioridade do culto, a essência litúrgica do candomblé continua a mesma, seja ele de Ketu, de Jeje, de Angola ou de Caboclo; pode ser identificada e será respeitada pelos seus cultores sem nenhum purismo. A Iemanjá de um terreiro tradicional não é superior à Iemanjá de um terreiro novo. É o mesmo orixá a quem se dedicam procedimentos litúrgicos equivalentes. Iemanjá é Iemanjá na Bahia, em Cuba ou no mais sincrético terreiro de Umbanda" (Tavares: 211).

Ou, como diz sempre certo ogã, "macumba boa é a que dá certo".

Por tudo isso, procurei apoiar este texto sobre Oxum em depoimentos e entrevistas com sacerdotes antigos, evitando recorrer, quando possível, à consulta de textos acadêmicos – a pesquisa bibliográfica é utilizada sobretudo quando investigamos as origens africanas da divindade.

As entrevistas foram experiência muito rica para mim. Não apenas porque aprendi e revi conhecimentos, mas também porque pude compreender melhor, por meio delas, a dinâmica do *segredo* do candomblé. Muitas vezes, os mais-velhos deixavam entrever que as respostas às minhas perguntas eram oferecidas de modo incompleto. Em algumas ocasiões, isto ficou claro: era-me vedado o conhecimento de certos "fundamentos" de Oxum. Em outras, porém, tive a chance de receber ensinamentos preciosos, com a advertência de que não os publicasse – o que fiz questão de cumprir.

Também foi interessante a comparação entre informações derivadas de tradições diversas, efetuada por mim ao longo da pesquisa e compartilhada com os próprios sacerdotes consultados. Há muitas diferentes verdades a habitar o emaranhado religioso afro-brasileiro. Em mais de um episódio os entrevistados comentaram respeitosamente, ao saber o que tinha dito algum outro sobre o mesmo assunto, algo como: "É, já ouvi muito falar sobre isso. Mas eu conheço de outro jeito..."

O mais complicado, entretanto, é que as divergências não estão apenas no plano da forma, do ritual, da mitologia, mas estendem-se aos domínios da ética e da moral. Sem dúvida, o candomblé dos *antigos* segue um modelo bastante diferente daquele que se encontra difundido nos dias atuais, nesse sentido.

· OXUM ·

Como diz João Antônio, *tata kivonda* (sacrificador) de importante casa de nação congo em Salvador: "Hoje se vê muito aventureiro começando a querer mudar as regras. Gente que viaja para a África e, em nome de uma suposta tradição, volta querendo corrigir e ditar o que é certo ou errado. Esse povo quer é aparecer e ganhar dinheiro. Ficam dando valor a conhecimentos técnicos, querem só pesquisar línguas africanas e resgatar rituais perdidos no tempo, o que também é bom, mas se esquecem da espiritualidade. Candomblé, antes de tudo, é uma religião que está aí para melhorar as pessoas, e é nossa obrigação atendê-las, na qualidade de sacerdotes. O candomblé ensina que as pessoas podem viver bem sendo como elas são, desde que descubram suas fraquezas. Mas nem todos pensam assim hoje. Alguns, ainda, insistem nessa história de pureza, mas eu digo: a gente não tem vergonha de ser sincrético, nem nada!"

Muitos mais-velhos dizem que, de um modo geral, o candomblé e as demais religiões afro-brasileiras passam por uma crise de valores, em que os males mais freqüentemente apontados são "comércio" e "vaidade". Quero registrar que esta é a opinião dominante entre os entrevistados a que recorri, não por acaso – são todos representantes de um mesmo saber tradicional, embora filiados a tradições afro-brasileiras diversas.

Além de experiência rica, trata-se de grande responsabilidade escrever sobre Oxum, divindade das mais populares de todo o panteão negro, presença viva no imaginário brasileiro. "Nessa cidade todo mundo é d'Oxum/ Homem, menino, menina, mulher", lembra a canção de Gerônimo e Vevé Calazans. Oxum e seus filhos têm lugar de destaque na história e na memória das religiões afro-brasileiras. Como esquecer de mãe Senhora, do Axé Opô Afonjá, ou mãe Menininha do Gantois, imponentes rainhas baianas? Elas estão hoje representadas por muitas e muitas mães-de-santo em todo o Brasil, em especial por Tatá de Oxum, soberana da Casa Branca do Engenho Velho, de Salvador (o terreiro matriz do rito nagô-kêtu), uma das figuras mais doces que já conheci.

São de Oxum, afinal, as mais reputadas ialorixás – poderia citar muitas delas. Sintetizo a importância de todas ao lembrar de um fato ocorrido em 13 de agosto de 1986, quando faleceu mãe Menininha. O apresentador do Jornal Nacional, após noticiar os funerais da ialorixá, trocou o habitual "boa noite" de encerramento do telejornal brasileiro de maior audiência por um sonoro "ora ieiê ô!", a saudação ritual a Oxum. Pois é o que garante Caymmi: "A Oxum mais bonita, hein?/ Tá no Gantois."

No mais, depois de concluir esta pequena reportagem sobre a mãe da água doce, do ouro e do dengo, só me resta agradecer àqueles que tornaram tudo menos espinhoso.

Agradeço a mãe Antonietta por seu carinho e generosidade. E a Carlos Alexandre de Camillis, o Cacau, sempre pronto a ajudar.

Agradeço aos entrevistados – Cacau, Eduardo, Zero, João Antônio, Kátia –, pela paciência e sobretudo pela confiança, e a toda a gente-de-santo que contribuiu direta ou indiretamente para a feitura do trabalho.

Agradeço a Nelson Vasconcelos, dublê de jornalista e anjo-da-guarda, e a Maria Lina Leão Teixeira, misto de mãe-criadeira e antropóloga, pela atenta leitura dos originais.

Agradeço à minha intrépida amiga Daniella Thompson, norte-americana que sabe tudo de música brasileira, responsável por deslindar pacientemente certa transação de comércio internacional sem a qual este livro teria saído mais pobre.

Agradeço a Nei Lopes, mais-velho no samba e nas lides de pesquisa do universo afro-brasileiro, por ter esclarecido dúvidas.

Agradeço todo o carinho e apoio de Maíra, minha mulher, judia com nome de deus tupi, moça que, se calhar, também tem alguma coisa a ver com Oxum. E à minha mãe, Maria Luiza, sempre por perto.

E, claro, agradeço à própria Oxum e a todos os orixás, bem como aos exus, caboclos, pretos-velhos, crianças e encantados. Nestes últimos meses de trabalho, veio sobretudo deles a força para que eu aprendesse a conviver com a ausência recente e dolorosa de meu querido pai, Luís.

Rio de Janeiro, janeiro de 2003.

◆

Foi na terceira semana de fevereiro, um mês depois de eu ter concluído estes escritos, que veio o resultado: estávamos na quarta semana de gravidez.

Passou o tempo. Miguel nasceu no dia 19 de outubro, sob os cuidados de Oxum e à luz dos ensinamentos da Torá.

Este livro também é dedicado a ele.

Outubro de 2003.
Luís Filipe de Lima

1 | O ORIXÁ

Tal como é conhecida no Brasil – dos tradicionais candomblés baianos de rito nagô-kêtu aos terreiros de umbanda –, Oxum apresenta-se como a mãe da água doce. É a "mãe das mães", símbolo do poder feminino de procriação. Divindade das mais populares em todo o panteão afro-brasileiro, é orixá que possui muitos atributos. Oxum representa a grande mãe ancestral que rege a fertilidade das mulheres, não apenas na dimensão da gestação, mas também em termos de abundância, riqueza e prosperidade.

OXUM

É, assim, a dona do ouro e da beleza, símbolo da vaidade feminina, sempre perfumada e enfeitada de pulseiras, colares, adornos e jóias de ouro, bronze ou qualquer metal amarelo. Oxum é também orixá guerreiro; em algumas de suas manifestações, porta espada e combate ao lado de outros orixás.

Os domínios de Oxum são os rios, córregos, cachoeiras e lagoas. A santa também está presente no "encontro das águas" (o lugar onde o rio desemboca no oceano) e, às vezes, na beira do mar. Seu elemento é a água doce, potável, sem a qual não há vida. Lembremos que a água está presente em cerca de dois terços do corpo humano (representa metade do peso corporal, em média) e cobre aproximadamente 75% da superfície do planeta. Oxum é a dona do caudaloso rio que leva seu nome, na Nigéria, e que corre ao longo da província de Oshun State, bem no centro do "país iorubá", território que compreende o sudoeste nigeriano e um pequeno trecho do leste do Benin. Também aí, na terra onde nasceram os orixás, a importância de Oxum como divindade das águas é marcante, como documenta a pesquisadora e sacerdotisa Ladekoju Lakesin:

"Os africanos ligados à tradição dos orixás chamam Oxum pelo nome carinhoso de Iye Omi'O, 'mãe das águas', pois sua essência é representada por toda água doce existente no mundo. As artérias de água doce do rio de Oxum formam a personalidade dos continentes e provêem o berçário reprodutivo que sustenta a cadeia alimentar mundial. Sua água fresca é o precioso sangue da vida e o sustento da terra. As sociedades africanas tradicionais e os devotos dos orixás, cuja conduta é pautada por esta antiga premissa, têm o dever de cuidar dos domínios de Oxum. Os iorubás possuem um provérbio que descreve com clareza o caráter vital da água. A pureza deste elemento, entre aqueles que cultuam os orixás, é observada com o mais alto respeito.

Ninguém abusa da água,
Com a água nós nos lavamos,

· OXUM ·

É a água que nós bebemos
Não há substituto para a água" (Lakesin: 46).

Podemos lembrar, ainda, que o feto se desenvolve e nasce dentro de uma bolsa d'água. Também por isso, Oxum é a "deusa da barriga", de aspecto materno e angelical. Ela rege o ventre, a gestação e o parto e cuida das crianças recém-nascidas, qualquer que seja o orixá a que pertençam. É ligada miticamente à cabaça, símbolo do útero e do poder feminino de gestação.

Um texto da tradição oral iorubá, traduzido por Juana Elbein dos Santos e de conteúdo conhecido nos terreiros brasileiros, assinala esta função de divindade procriadora e provedora:

"No tempo da criação, quando Oxum estava vindo das profundezas do orum [o mundo divino], Olodumare confiou-lhe o poder de zelar por cada uma das crianças criadas por orixás que iriam nascer na terra. Oxum seria a provedora de crianças. Ela deveria fazer com que as crianças permanecessem no ventre de suas mães, assegurando-lhes medicamentos e tratamentos apropriados para evitar abortos e contratempos antes do nascimento; mesmo depois de nascida a criança, até ela não estar dotada de razão e não estar falando alguma língua, o desenvolvimento e a obtenção de sua inteligência estariam sob o cuidado de Oxum. Ela não deveria encolerizar-se com ninguém a fim de não recusar uma criança a um inimigo e dar a gravidez a um amigo. A tarefa atribuída a Oxum é como declaramos. Ela foi a primeira Iá Mi [grande mãe feiticeira], encarregada de ser a *Olùtójú awọn ọmọ* (aquela que vela por todas as crianças) e a *Álàwòyè ọmọ* (aquela que cura as crianças). Oxum não deve ter inimizade com ninguém" (Santos: 85-86).

Nos terreiros nagôs, sabe-se que Oxum tem parte com Iá Mi Oxorongá, grande feiticeira merecedora de imenso respeito. Este é o lado mais oculto da mãe da água doce, também devotada aos encantamentos e feitiços. Oxum, secundada por Nanã e Iemanjá, é patrona da sociedade secreta Gueledé, controlada exclusivamente por mulheres e que cultua os antepassados em cerimônias de mascarados. A sociedade Gueledé, que tem origem no país iorubá, está extinta hoje no Brasil, mas há notícia de seu florescimento na Bahia do século XIX; parte de sua memória está ainda perpetuada em terreiros nagôs tradicionais. Pierre Verger registra que Maria Júlia Figueiredo, uma das primeiras ialorixás do Engenho Velho, casa-matriz do rito kêtu em Salvador, presidia essa sociedade, ostentando o título de Ialodê Erelu e promovendo uma grande festa anual todo 8 de dezembro – dia de Nossa Senhora da Conceição (cf. Verger, 1994: 26).

Oxum é a dona do ouro, embora não seja propriamente o orixá da riqueza. Este é o papel de Ajê Xaluga, orixá pouco conhecido fora dos terreiros, ligado a Oxum e a Xangô. No rito nagô-kêtu é considerado uma entidade feminina, já no nagô de Alagoas, um orixá masculino. Não possui filhos e não

· OXUM ·

incorpora em ninguém. Nas casas antigas do nagô alagoano, assenta-se Ajê no pé de Oxum.

A mãe da água doce é orixá que conquistou poder e sabedoria por meio de seu comportamento sedutor e cheio de dengo. Ela é sempre elegante e discreta, mesmo em seus aspectos mais aguerridos, e seus modos são por vezes sorrateiros. Possui estreitas ligações com todos os orixás (à exceção de Obá, que com Oxum disputa o amor de Xangô), deles se aproximando e acabando por conhecer seus segredos. Em algumas histórias, Oxum vive com Ossãe no mato, aprendendo com o orixá das folhas seu uso, tanto para curas quanto para sortilégios e encantamentos. Em outras, tem acesso às técnicas da adivinhação por meio de seu esposo Orumilá. Certa qualidade de Oxum, ensinam alguns mais-velhos do candomblé, foi morar no fundo da lagoa com Nanã, que lhe ensinou sobre os mistérios da vida e da morte.

Oxum desposou vários orixás: Xangô, Oxóssi, Orumilá, Ogum, Obaluaiê, Oxalá. Mas conta-se que sempre foi fiel, vivendo com apenas um de cada vez. Em alguns terreiros dizem que Oxum, embora muito poderosa, é orixá de posição humilde em relação aos demais, desempenhando os serviços de cozinheira das divindades. Essa idéia é reforçada por alguns mitos correntes em Cuba que descrevem a santa como "menor" ou "a mais jovem". Há quem a considere o "décimo sexto" orixá, o que equivale a dizer último, já que dezesseis é número usado para quantificar miticamente o conjunto dos principais orixás, sendo também a conta dos principais odus (signos do sistema divinatório de Ifá). Igualmente dezesseis são as qualidades de Oxum, desdobramentos do orixá em diferentes personificações.

Em Cuba, onde também se fixaram as divindades iorubás, alguns chamam Oxum de "mulher da vida", por seu caráter sensual. Mas a idéia de que a divindade é símbolo de moral sexual desregrada – contestada aliás entre os cubanos ligados a ramos mais tradicionais da religião – não encontra respaldo no Brasil ou no país iorubá. A esse respeito comenta Ladekoju Lakesin:

OXUM

"A sensualidade de Oxum é associada a elementos como tradição matriarcal, sabedoria feminina e imaginação criativa. Ela é a dona da água fresca e doce, do mel, das crianças e da manifestação da alegria. Ela domina as atividades criativas e sensuais, como as artes em geral: música, dança, *design* e artes plásticas, literatura, culinária e, ainda, a arte de curar. Oxum, entretanto, é uma divindade antiga e de caráter extremamente sério, que submete seus filhos à tradição e aos mais severos padrões de integridade moral. Ela é a suprema incorporação de qualidades como compostura e retidão de caráter. Oxum ensina a viver com alegria e discrição. Ela detém graça, sabedoria e paciência, ferramentas indispensáveis para se enfrentar as provas da vida" (Lakesin: 41).

O culto a Oxum e aos demais orixás tem origem entre os iorubás, cuja cidade mais antiga, Ilê-Ifé, foi fundada entre os séculos IX e XI da era cristã. Segundo alguns autores, o povo iorubá descende de habitantes da África Central, mas há quem sustente a tese de que seus ancestrais tenham migrado do Egito ou da Etiópia – o que explicaria a riqueza e a complexidade de seu panteão, ímpar entre seus vizinhos da África Ocidental, além da semelhança de trechos da literatura oral dos orixás com passagens bíblicas. A hipótese não é improvável, mesmo porque o ramo lingüístico do qual descende o idioma iorubá (o kwa) surgiu em aproximadamente 3.000 a.C., de acordo com estudiosos, o que garante a existência dos ancestrais dos iorubás muito antes de se fixarem no golfo da Guiné.

É no país iorubá que corre o rio Oxum, mais exatamente na região ocupada pelo subgrupo étnico ijexá, nas cidades de Ilexá e Oxogbô, além de Ilê-Ifé e Adô-Ekiti, destacados locais de culto da mãe da água doce. Oxum recebe aí o título de Ialodê, igualmente conferido às mulheres mais importantes na hierarquia religiosa dessas cidades.

OXUM

Juana Elbein dos Santos registra que "Oxum é considerada como a mais eminente das *Ìyá*, símbolo do feminino, rainha excelsa cujo culto, difundido em todo o Brasil, é originário da terra ijexá. Seu principal templo está situado em Oxogbô, e o Ataojá – o obá [rei] da região – é seu principal adorador."

Ainda com a autora:

> "Oxum é representada em algumas narrativas como um peixe mítico. Em Oxogbô, onde ela é o orixá real, atendido pelo Ataojá, foi sob a forma de um peixe que Oxum apareceu na margem do rio ao primeiro rei Larô, que fez um pacto com ela. Daí seu título '*A-tewo-gbaeja*', abreviado Ataojá, 'aquele que aceita o peixe, e o templo de Oxum foi construído no lugar em que se supõe ter sido concluído o pacto. Oxum é a patrona dos peixes, considerados seus filhos. As escamas de seu corpo os representam. Festivais anuais são realizados fora dos 'terreiros' à beira-mar ou em cursos d'água para assegurar uma boa pesca e propiciar as

graças de Oxum e outras entidades igualmente associadas à água como Iemanjá e Oiá [Iansã]. Mas Oxum, além de ser representada como um peixe, também está associada a pássaros, como todas as *Ìyá-àgbà* ["mães anciãs", outro nome das Iá Mi]. Da mesma forma que os peixes, os pássaros a representam e são seus filhos. Estes são simbolizados pelas penas da mesma forma que os peixes o são pelas escamas. Seu corpo de peixe ou de enorme pássaro mítico está coberto de escamas ou de penas, pedaços do corpo materno capazes de separar-se, símbolos de fecundidade e procriação" (Santos: 86-87).

Com a colonização da África pelos europeus, a partir do século XV, a diáspora dos africanos escravizados trouxe ao Novo Mundo sua cultura e sua religião. No Brasil, em Cuba e nas Antilhas, os iorubás recriaram o culto a seus orixás – Oxum entre eles. Os nagôs (nome dado no Brasil aos iorubás) fixaram-se no Brasil especialmente a partir do século XVIII, no recôncavo baiano, em Pernambuco e Alagoas, no Maranhão e, ainda, no Rio Grande do Sul, sendo então utilizados como mão-de-obra nos engenhos de cana-de-açúcar.

Mas a herança cultural dos iorubás não foi preservada de maneira coesa e homogênea, por diversas razões. Primeiro, obviamente, pela condição de escravidão a que foram reduzidos, o que implicava a assimilação forçada de padrões culturais e religiosos de seus senhores portugueses e brasileiros. Depois porque os iorubás, que nunca possuíram unidade política, dispersavam-se em cidades-estado relativamente autônomas, berço de variantes culturais, lingüísticas e religiosas. Às vezes rivais entre si, estas cidades nem sempre cultuavam as mesmas divindades.

Assim, em terras brasileiras, estabeleceram-se diversos ritos religiosos que são derivados dessas distintas tradições iorubás, por vezes misturadas entre si, ou então mescladas a outras religiões africanas. Os principais ritos de origem iorubá que compõem o leque de variantes do candomblé são o nagô-kêtu,

· OXUM ·

ou simplesmente kêtu, florescido na Bahia no século XIX e difundido por todo o país já no século XX; o efan ou ijexá, também baiano, progressivamente diluído em meio aos terreiros kêtu; o xangô pernambucano; o nagô e o xambá de Alagoas; o batuque do Rio Grande do Sul, que admite as nações oió e ijexá; o nagô do Maranhão, fortemente influenciado pela religião dos jejes, vizinhos dos iorubás na África. Em todos eles, Oxum tem presença marcante.

Também nas outras variantes do candomblé (chamadas pelo povo-de-santo de "nações") à parte do ramo nagô, Oxum se faz representar, seja com seu próprio nome, seja por analogia com alguma outra divindade – caso de Aziri, nos ritos jejes da Bahia e do Maranhão; Dandalunda e Kissimbe nas nações congo e angola da Bahia; Tata Andorinha e Pomba Juriti em cultos afro-ameríndios do norte e nordeste brasileiros, como a mesa-de-jurema, o toré, o catimbó e a encantaria.

Na umbanda, religião que se fixou no Rio de Janeiro nas primeiras décadas do século XX e de lá se irradiou por todo o país, Oxum é uma das divindades mais conhecidas. O aspecto maternal do orixá da água doce é reforçado no culto umbandista, não se conhecendo aí suas relações com as Iá Mi e seu feitiço. Oxum na umbanda pode trabalhar com um copo d'água, equilibrado na palma da mão de seu médium, e muitas vezes se manifesta chorando, o que não é nada comum no candomblé. A esse respeito, aliás, ouvi dizer um sacerdote antigo: "É raro, mas um orixá no candomblé pode chorar, sim. Agora, se isso acontece, é mau sinal. Quer dizer que não há mais nada a ser feito..."

A par do sincretismo de Oxum com outras divindades afro-brasileiras, há suas catolizações, que costumam variar de região para região (ou de rito para rito) e também de acordo com a qualidade do orixá. A principal divindade católica associada a Oxum, tanto no Rio de Janeiro quanto na Bahia, é Nossa Senhora da Conceição, cuja data festiva é 8 de dezembro. Outras "qualidades" de Nossa Senhora podem ser associadas à mãe iorubá da água doce, entre elas Nossa Senhora do Bom Parto, Nossa Senhora Aparecida, Nossa Senhora da Penha, Nossa Senhora de Fátima, Nossa Senhora das Candeias (esta também vinculada a Iemanjá), Nossa Senhora das Dores, Nossa Senhora do Perpétuo Socorro, além de Santa Cecília, a padroeira dos músicos. Atesta o antropólogo pernambucano José Jorge de Carvalho que "Oxum é a deusa mais querida do Recife, sendo inclusive sincretizada com Nossa Senhora do Carmo, a padroeira da cidade" (Carvalho: 91). Sabe-se que os pernambucanos associam também Nossa Senhora dos Prazeres a Oxum. Sua principal catolização em Cuba é Nuestra Señora de la Caridad del Cobre, por causa do apreço que Oxum tem ao chamado "cobre amarelo", ligas metálicas à base de cobre como o bronze (cobre e estanho) e o latão (cobre e zinco).

2 | PRINCIPAIS ATRIBUTOS

Oxum, de fato, é senhora de muitos predicados: mãe da água doce, dona do ouro, patrona da gestação, divindade do feitiço e da sedução, amante da beleza, das artes e da música, cozinheira dos orixás, guerreira, esposa de Xangô, Oxóssi, Ogum e Orumilá, mas sempre "mulher de um homem só", pois viveu com apenas um de cada vez. São muitas as faces da santa, e muitos os elementos que a representam.

A começar por sua cor predileta, o amarelo-ouro, presente em suas roupas e adornos, nos seus fios-de-conta (os colares rituais, também chamados na umbanda de *guias* ou, nas casas nagôs, de *ilekês*), nas louças de seus assentamentos, nas flores que lhe são ofertadas, em suas insígnias e adereços de metal. Juana Elbein dos Santos registra que, no país iorubá, "a cor de Oxum é o *pupa* ou *pọn*, que em nagô significa tanto vermelho como amarelo. O amarelo é pois uma qualidade do vermelho, um vermelho-claro e benéfico, significando também 'está maduro'. Uma outra maneira de dizer vermelho em nagô é *pupa eyin*, literalmente, 'gema de ovo'. Nada poderia ser mais expressivo. Realmente ovo é não só o símbolo de Oxum, com o qual se prepara uma de suas comidas preferidas, como também o símbolo por excelência das *Ìyá àgbà*, ancestres femininos" (Santos: 89).

Algumas qualidades de Oxum, a exemplo de Ieiê Okê, podem também usar o azul claro (cor de Oxóssi no rito nagô-kêtu), em meio ao amarelo. Oxum também "pega" branco – cor de Oxalá usada por todos os orixás – e cor-de-rosa, esta especialmente em qualidades associadas a Iansã. Suas roupas, no nagô-kêtu, são muitas vezes estampadas, podendo aí entrar diversas outras cores. Oxum não tem euó (quizila, interdição ritual) de cor – o que já não acontece com seu filho Logun-Edé, que não tolera o vermelho e o marrom. Na umbanda, de figurinos mais monocromáticos, quase não há estampas nas roupas dos orixás, e predomina o amarelo nas vestes de Oxum, ao lado do branco de Oxalá que é comum a todos os filhos-de-santo. Oxum na umbanda às vezes usa azul claro, mas não por causa de Oxóssi, como no candomblé kêtu; a cor parece ser inspirada nos mantos de algumas Nossas Senhoras que com ela são sincretizadas.

O obi (noz-de-cola, *Cola acuminata* Sch. & Endl., *Sterculiaceae*) oferecido a Oxum, segundo alguns antigos, é o de cor vermelha, com quatro gomos. Hoje em dia, contudo, muitos preferem dar a Oxum obis de cor clara.

Os fios-de-conta consagrados a Oxum são de miçangas amarelo-ouro, transparentes, ou de contas de

· OXUM ·

cristal da mesma cor. Os fios de Oxum Ianlá, ligada a Oxalá, podem ter firmas (contas maiores usadas como fecho do colar) brancas, os de Ieiê Okê, esposa de Oxóssi, turquesas. Oxum Apará usa contas de um amarelo mais escuro, num tom de caramelo – segundo uma ialorixá, a cor ideal das contas de todas as Oxuns "no tempo dos antigos". Oxum, dizem uns, pode às vezes pegar miçangas amarelas leitosas quando está relacionada a Orumilá. Um mais-velho conta que já viu Ieiê Pondá usar estas contas leitosas alternadas com azul-escuras, por conta de sua ligação com Ogum. As contas podem ser entremeadas de coral (que servem praticamente para todos os orixás, simbolizando a "riqueza do mar") ou de certo tipo de ágata alaranjada, erroneamente chamada de âmbar na maioria das lojas de produtos religiosos. As jóias de âmbar verdadeiro, que é resultado da fossilização de resinas, também são associadas a Oxum no candomblé. Na umbanda, Oxum (chamada às vezes de Mamãe Oxum da Cachoeira) pode usar ainda contas de cristal num tom de azul bem claro, ou então o mesmo azul turquesa que no candomblé kêtu é dedicado a Oxossi – mesmo assim, o que predomina também aí é o uso das contas transparentes em amarelo.

Oxum gosta de flores amarelas, que muitas vezes lhe são oferecidas em número de cinco, por sua ligação com Oxê, o quinto odu de Ifá tal como aparece no jogo de búzios, ou dezesseis e seus submúltiplos, porque dezesseis são as Oxuns e porque ela é considerada o décimo sexto orixá. É dela a rosa amarela, embora também receba rosas-chá em algumas casas, de acordo com sua qualidade, e rosas brancas, porque "o branco de Oxalá também é de todos os orixás". Para alguns, a flor preferida de Oxum é o girassol, que enfeita o quarto onde fica seu assentamento e, ainda, a casa de seus filhos. A santa também tem apreço pela palma-de-santa-rita amarela e pela angélica, flor branca de agradável e acentuado perfume.

Perfume, aliás, é o que não pode faltar a Oxum, que entre todas as iabás (orixás femininos) é a que

· OXUM ·

mais faz seu uso. O preferido da mãe da água doce, em muitas casas, é o de alfazema, mas Oxum usa perfumes de várias qualidades – desde os caseiros, como o de essência de acácia ou água-de-cheiro, até os franceses de marca – nos panos que recobrem seus assentamentos e em suas roupas, quando vem dançar nos terreiros.

Oxum está sempre perfumada e, sobretudo, bastante limpa e asseada – como, de resto, todos os orixás. A santa gosta de tudo muito arrumado, exigindo o ossé (limpeza ritual) de seus assentamentos com bastante freqüência. Como diz um mais-velho: "Os orixás, e ainda mais Oxum, só estão inteiramente presentes quando há asseio nos quartos-de-santo e nas obrigações. Ninguém gosta de sujeira, ninguém se alimenta de comidas podres, então como é que os orixás vão gostar disso? Nós mesmos não temos que tomar banho todos os dias? A limpeza, é bom lembrar, não tem a ver com riqueza ou enfeites nos assentamentos, muita fartura de comidas secas ou animais sacrificados; para entrarmos em contato

· OXUM ·

com a energia mais positiva do orixá, seja ele Oxum, Obaluaiê, Exu ou Oxalá, mais vale a simplicidade com asseio do que a opulência com sujeira e descuido."

A principal insígnia de Oxum é o leque, chamado na língua nagô de abebé e confeccionado em latão dourado (diferentemente dos leques de Iemanjá e Oxalá, feitos em latão prateado ou mesmo prata). O abebé de Oxum quase sempre traz um pequeno espelho em seu centro, com o qual ela se olha e admira sua própria beleza. Mas não apenas isso. Para além de objeto de toucador, o espelho de seu leque é também poderosa arma de guerra: foi com ele, contam, que a santa derrotou inimigos em muitas batalhas, desviando a luz para os olhos deles. Quando está em terra, incorporada em um de seus filhos, Oxum costuma dançar com seu abebé. Depois que a festa termina e ela se despede, a insígnia volta a adornar seu quarto-de-santo (o cômodo do candomblé onde ficam seus assentamentos).

As qualidades guerreiras de Oxum, como Ieiê Pondá e Apará, também portam espada, igualmente em metal amarelo. Com o mesmo material são feitos pingentes em forma de peixes, pássaros ou corações, símbolos de Oxum: os peixes são seus filhos, os pássaros representam sua ligação com as feiticeiras Iá Mi, o coração simboliza o amor maternal da divindade. Esses pingentes, sempre aos pares, são usados sobre as vestes do orixá, presos a correntes de metal cruzadas a tiracolo, como se fossem capangas ou pequenas bolsas.

Quando manifestada, Oxum usa o adê, a coroa das iabás, da qual pende uma fieira de miçangas que esconde seu rosto, chamada filá. Usa muitas pulseiras de bronze, latão dourado ou mesmo ouro, conhecidas como idés, no braço e no antebraço. Ela pode usar também uma tira de pano fina presa atrás do pescoço, com nós nas pontas, e que às vezes segura enquanto dança.

Oxum, por sinal, é dançarina das mais elegantes. Diz-se que ela "pisa macio", o que é explicado por uma de suas histórias, como veremos mais adiante. O toque de tambor preferido pela santa é o ijexá,

· OXUM ·

nome do povo da cidade iorubá de Ilexá, próxima ao rio Oxum. Ritmo cadenciado e cheio de ginga, o ijexá é um dos toques mais conhecidos fora dos candomblés. Ele serve de base para o repertório dos afoxés, os grupos carnavalescos que em sua origem eram formados pela gente de terreiro (que só assim tinha licença para brincar o carnaval) e que têm desde a década de 1950 como expoente maior o Afoxé Filhos de Gandhi, de Salvador. O ijexá também ocupou espaço significativo na música popular brasileira, notadamente na voz de intérpretes baianos. Alguns mais-velhos ensinam, entretanto, que no tempo antigo o termo ijexá servia para identificar não apenas um toque, mas antes um conjunto de toques de uma mesma família, executados nos candomblés de nação ijexá, que, como vimos, diluiu-se em meio ao rito nagô-kêtu. O ritmo ijexá que hoje é popular dentro e fora dos terreiros, dizem, seria o toque mais corrente nessas antigas casas.

Mas Oxum não dança apenas o ijexá. Ela aprecia, no candomblé nagô, diversos outros toques, a exemplo do batá, que é base da "roda de Oxum", e o bravum, de origem jeje. Pierre Verger descreve com propriedade sua dança, que "lembra o comportamento de uma mulher vaidosa e sedutora que vai ao rio se banhar, enfeita-se com colares, agita os braços para fazer tilintar os seus braceletes, abana-se graciosamente e contempla-se com satisfação num espelho" (Verger, 1981: 176). Em algumas cantigas a ela dedicadas, Oxum – como os demais orixás – faz o que no candomblé é conhecido por "ato", série de movimentos coreográficos que descrevem algumas de suas caraterísticas ou passagens míticas. Em certa cantiga, por exemplo, Oxum dança exibindo suas jóias e adornos. Há também a cantiga do "banho de Oxum", em que o orixá banha-se no rio e mira-se em seu espelho. Além de representar a vaidade feminina, o bailado da dona do ouro pode destacar também seus aspectos ligados à maternidade, como no caso de uma cantiga em que Oxum, mãe faceira, dança apresentando os seios.

· OXUM ·

Todos os orixás, quando incorporados em seus filhos iniciados, têm o seu brado característico, o ilá, que serve para anunciar sua presença em terra e também para que seu axé seja manifestado. Esse brado varia de acordo com a qualidade do orixá, ou mesmo de filho para filho que tem o dom de incorporá-lo. O ilá de Oxum é discreto, melodioso. Diz-se que representa o murmúrio dos rios. Nas qualidades jovens ou guerreiras o brado pode ser mais vigoroso, tornando-se mais ameno nas Oxuns velhas.

A saudação de Oxum corrente nos candomblés nagôs e nos terreiros de umbanda é "Ora ieiê ô!" – com as variantes "Ore ieiê ô!" (que seria a mais próxima da matriz iorubá), "A ieiê ô!" ou simplesmente "Ieiê ô!". Pierre Verger dá a tradução "chamemos a benevolência da mãe" (Verger, 1981: 176) a partir dos termos "ore" ("bondade"), "ieiê" ("mãe" ou "mamãe") e "ô", interjeição exclamativa. Há quem traduza "a ieiê ô!" como "salve nossa mãe!", já que a partícula "a", em iorubá, pode significar "nosso" ou "nossa".

· OXUM ·

O dia da semana em que Oxum é cultuada, na grande maioria dos ritos afro-brasileiros, é o sábado, ao lado de Iemanjá. Este é o dia preferido para a entrega de presentes à mãe da água doce, para que se acendam velas em sua intenção, para que se faça o ossé (a limpeza ritual) de seus assentamentos. Ossé, aliás, quer dizer "semana" em iorubá. A semana do tradicional calendário lunar dos iorubás tem quatro dias, chamados ojô auô (dia do segredo, em que são cultuados Exu e Orumilá), ojô Ogum (dia reservado a este orixá, ao lado de Oxóssi e demais divindades do mato), ojô Xangô (em que o orixá do trovão é reverenciado ao lado de sua família mítica) e ojô Obatalá (dedicado a Oxalá e sua corte). Quando passaram a adotar o calendário europeu, já no Novo Mundo, os iorubás reorganizaram sua semana ritual, muitas vezes orientados pela aproximação de suas divindades com os santos católicos. Assim é que Oxum e Iemanjá passaram a ser cultuadas preferencialmente no sábado, dia de culto a Nossa Senhora.

Além do dia da semana, o povo-de-santo observa também as fases da lua, decisivas para a realização de certos rituais. A "lua boa" para se fazerem sacudimentos e descarregos, por exemplo, é a minguante. Já no caso dos ebós de prosperidade, espera-se o quarto crescente. Segundo algumas tradições, Oxum gosta de receber presentes e ser cultuada na lua crescente, sua preferida, ou então na lua nova.

É nessas luas, de preferência, que Oxum é "assentada". Os assentamentos (também chamados de assentos ou ibás) são conjuntos de objetos que, uma vez consagrados, passam a representar as divindades no plano sensível. Alguns são coletivos, representando, por exemplo, o "Oxóssi da casa". Mas a maioria é destinada a fixar o orixá de um determinado iniciado – o "Oxóssi de fulano". Suas características (tamanho, formato, materiais que os compõem) variam bastante de divindade para divindade, de rito para rito e mesmo de adepto para adepto (os assentamentos que pertencem a iniciados de maior grau costumam ser mais elaborados). Normalmente

· OXUM ·

os assentamentos têm como elemento central uma ou algumas pedras, chamadas nos candomblés nagôs de otás – seixos rolados de tamanho médio ou pequeno. O otá, ao lado de elementos como moedas, búzios, pulseiras de metais diversos, é colocado dentro de uma vasilha, que pode ser um alguidar ou porrão de barro, uma terrina de louça, uma panela de ferro. Às vezes não há otá, e a peça principal do assentamento é feita de ferro ou metal amarelo, em vários formatos. Há assentamentos que são "emassados", isto é, recobertos de argila. Há também os "vultos" de Exu, bonecos de barro enfeitados com búzios e outros materiais.

Junto aos assentamentos, as divindades recebem presentes e comidas de seu agrado. É no quarto-de-santo, lugar destinado a um ou vários assentos, que os filhos-de-santo rezam, acendem velas, trocam de tempos em tempos a água das quartinhas que acompanham cada ibá, fazem de manhã bem cedo o ossé, a limpeza ritual, manipulando os otás ou ferros do orixá, untando-os de azeite de dendê, mel ou outros elementos, trocando os panos que em algumas casas são usados para "vestir" os assentamentos.

Os assentamentos são consagrados e periodicamente realimentados com o sumo de ervas, o sangue de sacrifícios e diversos outros axés, como sementes e favas raladas. Considera-se que a divindade assentada passa a "morar" ali, respondendo às preces e invocações que lhe são dirigidas – muito embora alguns antigos ensinem que os orixás, forças da natureza, respondem antes de tudo nos seus respectivos ambientes, como os rios, o mato, a pedreira, o alto do morro, o bambuzal, a cachoeira, a beira do mar, o "encontro das águas" e assim por diante. Os assentamentos variam também de acordo com a qualidade do orixá, o que é notado quase sempre pela adição de um ou outro elemento característico em meio aos materiais básicos de cada divindade. Em algumas casas nagô-kêtu tradicionais, por exemplo, os assentamentos de Xangô não levam búzios, à exceção de Xangô Baru, que os exige. Em certas nações o orixá do trovão é assentado em gamelas

· OXUM ·

de madeira, em outras, em alguidares ou porrões de barro. Entretanto, é possível levar em conta o que costumava dizer seu Zé Galeguinho, velho sacerdote alagoano, falando a respeito de Xangô ou de qualquer outro orixá: "Xangô é um só, seus otás é que são muitos."

Os assentamentos de Oxum têm como elemento principal um otá, seixo de rio catado com os devidos preceitos rituais, ao lado de búzios, moedas douradas e idés (braceletes) de metal amarelo. Podem estar presentes um pequeno leque, espada ou ofá (arco e flecha) de ouro ou metal amarelo, entre outros objetos, dependendo da qualidade assentada. Também podem fazer parte do assentamento de Oxum, em alguns terreiros, colheres de pau – usadas também em certos ebós (trabalhos mágicos). A colher de pau é atributo de Oxum, considerada "grande cozinheira" (e por isso, em alguns candomblés, o cargo de *iabassê*, a responsável pela cozinha dos orixás, é preferencialmente confiado a uma filha de Oxum). Nas casas de rito nagô-kêtu, Oxum é assentada em "ibá de louça", terrina de tamanho variável, normalmente pintada em tons de amarelo, que contém o otá – ou otás – e demais objetos consagrados.

Pierre Verger conta que, no país iorubá, "seus axés são constituídos por pedras do fundo do rio Oxum, de jóias de cobre e de um pente de tartaruga" (Verger, 1981: 174). Ladekoju Lakesin descreve uma série de objetos comumente encontrados nos altares de Oxum, na África, utilizados por seus sacerdotes (Lakesin: 98):

"1. *Aşọ funfun* – pano branco, um tecido totalmente branco, feito a mão. Os sacerdotes de Oxum vestem-se com este pano de acordo com os estilos tradicionais de Gele, Ioborun, Iro ou Bubba. Em ocasiões especiais, os sacerdotes amarram um único corte de pano branco em volta do corpo todo, começando sob as axilas e o estendendo até abaixo dos joelhos. Também podem amarrar o *aşọ funfun* da cintura para baixo, enfeitando o peito com um adorno de camadas de contas de coral.

2. *Ooya* – penteados de cabelo – Mulheres consagradas a Oxum tradicionalmente usam seu cabelo puxado para cima e para frente, juntando-o todo no alto da cabeça num elegante penteado denominado *osu*, trançado com contas e enfeitado com as penas vermelhas do odideré, um tipo de papagaio com penagem predominantemente cinzenta. As sacerdotisas usam um tipo especial de pente feito de marfim, denominado *ajanaku egungun*.

3. *Erindinlogun* – Dezesseis búzios – Os sacerdotes de Oxum carregam uma pequena *idassa*, espécie de bolsa ornada de cetim e que contém uma fieira de búzios.

4. *Şaworo Oxum* – Sino de bronze – Os sacerdotes carregam também um sino de bronze ao redor de cuja base estão presos dezesseis pequenos sininhos. Este instrumento é usado para invocar o orixá e alertar a todos para que abram caminho para a corte de Oxum.

5. *Awe* (*oru omi*) – Em seu altar sempre há *omi tutu* (água fresca) num *ikoko* (urna tampada)

que contém seus otás tirados do leito do rio e outras insígnias secretas. Seu leque é especialmente desenhado por um ourives para conter quatro lâminas encadeadas, sem orifícios, embutidos em quatro outras lâminas, com orifícios, compondo um total de oito lâminas.

6. *Árvore de peregun* – Perto de um altar de Oxum há quase sempre uma árvore de peregun [*Dracaena fragans* L., *Liliaceae*], que serve de ponto de encontro para os adoradores do orixá.

7. *Ide wewe* – As sacerdotisas de Oxum usam sempre muitos braceletes de bronze ou latão em ambos os braços."

Em Cuba, conforme ensina o *babalawo* (diz-se "babaláuo") José Roberto Brandão Telles, o Zero, o assentamento de Oxum é montado em uma sopeira de louça colorida, com predominância do amarelo ou do dourado. Há, entretanto, qualidades de Oxum que são assentadas em vasilhas de barro.

· OXUM ·

Ali põem-se cinco pedras amareladas ou brancas (seixos arredondados), que concentram o "espírito" ou energia do orixá, ao lado de uma "mano de caracoles", conjunto de búzios (em número que pode ser de 16 ou 18) que serve para a adivinhação, junto a outros objetos e insígnias particulares do orixá.

Algumas características são comuns aos filhos de Oxum. Antes de enumerá-las, porém, é bom esclarecer, de acordo com alguns antigos, que as características de cada indivíduo – como temperamento, aptidões e mesmo traços físicos – não se prendem apenas ao eledá, isto é, o orixá que governa a cabeça de cada um. Os odus, conjunto dos 256 signos de Ifá que regem os seres humanos e aos quais os orixás também se encontram subordinados, também determinam nosso padrão de comportamento. Como existe correspondência entre o odu e o orixá dos indivíduos (cada odu "traz" uma série de orixás), nem sempre é tão simples distinguir o que é influência de um ou de outro.

· OXUM ·

Filhos de Oxum são em geral vaidosos, gostam de se vestir bem, gostam de bons perfumes. Mesmo quando não sejam propriamente bonitos, são charmosos, atraentes, cativantes. Possuem temperamento doce, tranqüilo – e que às vezes esconde teimosia. Suas filhas são femininas, comumente têm seios grandes, assim como as filhas de Iemanjá. São maternais, gostam de crianças, com quem têm bom trato. Filhos e filhas da santa são bastante sociáveis, gostam de festas e reuniões. Podem ter tendência à falsidade e dissimulação. Por outro lado, são respeitadores e conhecem seus limites, pois "conhecem a mãe que têm": Oxum protege, mas sabe repreender.

No âmbito dos terreiros, os filhos de Oxum alcançam destaque em vários "cargos" (funções rituais). A começar pelo de zelador-de-santo: é o odu Oxê, que traz Oxum, aquele capaz de apontar no jogo de búzios a vocação do iniciado para ocupar o cargo máximo de uma casa de candomblé. São muitas as ialorixás de Oxum, e numerosas as que se destacaram no panorama das religiões afro-brasileiras. Nos terreiros nagôs, são escolhidas normalmente entre as filhas de Oxum as que têm cargo de iabassê (a responsável pela cozinha da casa de santo) ou iá tebexê (quem tira as cantigas dos orixás no momento das festas). Muitos alabês (ogãs cuja função principal é a de tocar os atabaques e demais instrumentos da orquestra ritual) são de Oxum, ou por ela "apontados". Filhos de Oxum, por causa da ligação de sua mãe espiritual com Orumilá, costumam ter boa "mão-de-jogo", isto é, são bons adivinhos.

No culto a Oxum realizado no país iorubá, há uma série de cargos específicos em meio à hierarquia religiosa. É o que aponta Pierre Verger, ao listar os oficiantes que assistem o Ataojá, rei de Oxogbô, no festival anual dedicado a Oxum (Verger, 1999: 397):

"*Iya Oşun*, a mulher que se encontra à frente das sacerdotisas.

Aworo, o homem que se encontra à frente dos sacerdotes e de seus respectivos substitutos.

Jagun Oşun, a mulher guerreira de Oxum.

Balogun Ọṣun, o guerreiro.

Iworo, sacerdotes e sacerdotisas de Oxum.

Ololigan Ọṣun, o homem que se encontra à frente de todos aqueles que fazem oferendas a Oxum.

Iyalode Ọṣun, a mulher que se encontra à frente de todos os adoradores de Ọṣun, com exceção dos Iworo.

Iyangba Ọṣun, a mulher que se encontra à frente dos servidores.

Arunmi Ọṣun, a mulher que, a cada quatro dias [período da semana tradicional iorubá], vai procurar água para lavar os seixos de Oxum.

Akun yungba Ọṣun, chefe dos cantores do culto de Oxum."

Lista bastante semelhante é publicada por Verger em outra obra, na qual descreve os cargos de sacerdotes e sacerdotisas de Oxum ligados ao palácio real da cidade de Oió, principal sede do culto a Xangô (Verger, 1992: 114-115).

· OXUM ·

Wanderley do Carmo e Robson Rogério Cruz, na interessante monografia inédita *Oyè – Cargos no Candomblé (rito Nàgó-Yorùbá)*, também descrevem os "oiê nilê Oxum", cargos rituais próprios do culto de Oxum tais como são conhecidos em algumas casas no Brasil:

"Ìyá Ọ̀ṣun (Iá Oxum) – É a responsável pelo àgbò (abô), o banho de folhas de Oxum. Cuida de suas roupas e adereços e a acompanha quando esta se encontra manifestada no terreiro. É um cargo para pessoas que não são incorporadas por orixá.

Ìyálóde (Ialodê) – 'A chefe da cidade', é ligada à chefe das *ayaba* (aiabás ou iabás, orixás femininos), sendo assim encarregada de organizar todos os preceitos e eventos relacionados a estas.

Ìyáládun (Ialadum) – 'Mãe da doçura', é quem prova os alimentos oferecidos a Oxum e convida as pessoas para se servirem da mesa deste orixá.

Aláwẹ̀dẹ̀ (Alauedé) – 'Lavadora do cobre', é a responsável pela conservação das jóias e adereços de Oxum.

Aláwẹ̀mọ̀ (Alauemó) – É quem lava os pés de Oxum quando esta se encontra incorporada, para poder ser investida de suas roupas e adereços. Cuida também das bonecas consagradas (*aṣókẹ̀* – axoqué) deste orixá.

Arúgbà (Arubá) – É a iniciada de Oxum escolhida para conduzir o balaio de preceito para ser depositada 'nas águas'.

Aromi (Aromi) – É quem transporta a talha com água que será usada para lavar Oxum ou aspergir o terreiro no encerramento dos ritos."

3 | RELAÇÕES MÍTICAS

De todos os orixás cultuados no Brasil, Oxum é quem mais aparece associada miticamente às demais divindades, seja na condição de esposa, filha, senhora, aliada ou guardiã – exceção feita apenas para Exu, ao mesmo tempo orixá e mensageiro dos orixás, também pródigo em relações míticas, os "enredos".

Pois Oxum tem enredo com todos os orixás do panteão. Diz um antigo que a santa, "com seu jeito meigo e sedutor, se aproxima dos orixás e acaba fazendo pacto com eles, conhecendo seus segredos, seus axés." Teria sido assim com certa qualidade de Oxum, que se uniu a Ossãe e com ele aprendeu os segredos das folhas. Os dois conseguiram vencer Oxóssi, até então o único dono do mato, em uma disputa, e com ele dividiram o reino da floresta. Outra Oxum foi viver com Nanã na lagoa, conhecendo assim seus mistérios. Oxum é mulher de Xangô, ao lado de Iansã e Obá, mas, em mitos diversos, aparece como esposa de outros orixás: há a Oxum que vive com Obaluaiê; há outra que acompanha certa qualidade de Ogum, guerreando junto a ele; há outra especialmente ligada a Oxalá, que só se veste de branco; outra, ainda, vive com Oxóssi, o caçador. É sabido que Oxum tem enredo com Orumilá, orixá da sabedoria e da adivinhação, sendo a ela facultado o jogo de búzios. Oxum também tem pacto com Iá Mi Oxorongá, temível feiticeira, servindo-lhe às vezes de mediadora.

No candomblé (e, de resto, na umbanda e em outras religiões afro-brasileiras) convivem mitos provenientes de diferentes regiões da África – a exemplo das diversas cidades do país iorubá, que guerreavam entre si à época da diáspora negra no Novo Mundo e não cultuavam exatamente as mesmas divindades. Isso explica em parte a multiplicidade de "esposos" e "pais" de Oxum. Assim, o povo-de-santo é capaz de atribuir diferenças a partir das "qualidades" do orixá (a Oxum que vive com Oxóssi, por exemplo, não é a mesma que tem Ogum como esposo) ou, ainda, dividindo a história do orixá em etapas: Oxum primeiro foi casada com Orumilá, depois com Xangô, como se diz em certas casas.

Algumas tradições, como a do rito nagô de Alagoas e certos ramos do nagô-kêtu, conhecem Oxum como nascida da relação incestuosa de Iemanjá com Orugã, seu filho. Já Pierre Verger conta que, "segundo certos informantes africanos, Oxum é filha de Oxaguiã, casada com Aganju. Quando este acabou por se tornar orixá, Oxum casou-se com Ifá" (Verger, 1999: 401).

• OXUM •

Entre os cubanos, é voz corrente que Oxum viveu com Ajagunã (Oxalá jovem e guerreiro), mas teve de deixá-lo por causa do ibi (caracol) que este comia e que é proibido a ela própria. De todos os orixás com quem se casou, foi Obatalá quem lhe deu mais filhos. É por isso, diz-se, que os *santeros* e *santeras* de Oxum acabam por iniciar muitos filhos de Obatalá ao longo de sua vida religiosa.

A tradição afro-cubana revela ainda que Oxum viveu com Ossãe, Xapanã (um dos nomes de Obaluaiê), Xangô, Orumilá, Ajagunã, Aganju (divindade que no Brasil é tida como qualidade de Xangô, mas que em Cuba é cultuado como orixá à parte), Orixá Okô (orixá funfun – da família de Oxalá – que é o patrono da agricultura), Odudua (outro orixá funfun) e Inle (no Brasil, qualidade de Oxóssi ligado à água). Contam que quem a satisfaz é Inle, mas o que lhe convém é Orumilá, que a coroou rainha.

Sobre a ligação de Oxum com este último orixá, escreve a americana Ladekoju Lakesin, com base em informantes africanos: "Oxum acompanhou Orumilá quando ele desceu dos céus à terra durante a Criação e tem estado em sua companhia de quando em quando. Nesta qualidade, Oxum é chamada Arugba e, em certas cerimônias e rituais de iniciação, desempenha uma importante função" (Lakesin: 41).

No sistema divinatório de Ifá, mediado por Orumilá, Oxum está associada a muitos dos seus 256 signos – os odus. Oxum, todavia, reina em Oxê-mêji, o quinto odu de Ifá, e é por isso que o número cinco a representa na maioria dos ritos. Oxê-mêji é patrono do sangue que corre em nossas veias; neste signo, ainda, nasce a palavra. Entretanto, mesmo que Oxum seja a "rainha do amor", não se considera que o amor nasça de Oxê-mêji. Segundo a tradição cubana, diz Ifá que o amor nasce do encontro da terra com o mar, do casamento perfeito entre Orixá Okô e Iemanjá, no odu Ogbê-di, o de número 21. Este signo, no entanto, também é ligado a Oxum.

O sistema de Ifá parte da existência de dezesseis odus básicos que se unem entre si, dois a dois, formando 256 pares distintos. Quando um deles combina-se consigo mesmo, forma um odu-"mêji" (duplo, em iorubá), também chamado de abá-o-du (odu "mais velho"); são, portanto, dezesseis os abá-odus. Os demais 240, resultado da combinação entre dois odus básicos diferentes, são chamados de omó-odus (odus "filhos"). Oxeturá (ou Oxetuá), fruto da interação de Oxê com Oturá, recebe o número 248 na classificação tradicional dos babalaôs africanos e assume especial importância no jogo de búzios tal como é praticado nos candomblés brasileiros, sendo relacionado a Oxum e a Exu.

Conhecido como o "odu da salvação", Oxeturá é representado por um dos 21 búzios que compõem o bará, jogo divinatório entregue nas casas nagôs àqueles que completaram seus rituais de iniciação – e que, no mais das vezes, fica guardado ao lado do assentamento de Oxum –, mas que nem todos aprendem a utilizar. Desse número total, quatro búzios são usados para adivinhações simples, que admitem respostas como "sim" e "não", normalmente jogados para se conferir a aceitação de alguma oferenda. Outros dezesseis formam o conjunto conhecido como merindilogun, o jogo de búzios popularmente conhecido pelos simpatizantes do candomblé. O último búzio, considerado o "décimo sétimo", espécie de apêndice do merindilogun, é representação de Oxeturá, sendo mantido próximo da mesa de jogo, quase sempre escondido. Ensinam alguns mais-velhos que este búzio é usado pelo adivinho, antes de jogar para um consulente pela primeira vez, para saber se vai poder atendê-lo.

Oxeturá é filho de Oxum. Em um mito narrado por Juana Elbein dos Santos, transcrito de fonte africana (cf. Santos: 150-160), diz-se que ele nasceu do ventre da mãe da água doce para que, numa época de muitas desgraças, o mundo pudesse ser salvo. É Oxeturá quem recebe e encaminha todas as oferendas a Exu, que por sua vez a transporta aos pés de Olodumare, o deus supremo. Carlos Alexandre de Camillis, o Cacau, feito ogã no rito nagô de Alagoas, ouviu versão semelhante de seu iniciador, José Teixeira Martins, o *seu* Zé Galeguinho.

· OXUM ·

É Cacau quem conta: "Oxum, considerada o décimo sexto orixá, era muito poderosa. Mesmo assim, nunca era convidada quando os demais orixás se reuniam. A ela cabia apenas cozinhar para todos. Certo dia Oxum cansou de ser menosprezada e, graças às suas relações com a feiticeira Iá Mi, fez cair a desgraça sobre o mundo. Os rios secaram, e não mais chovia. As mulheres tornaram-se inférteis. Não havia mais comida. Os orixás foram consultar o oráculo de Ifá, e então descobriram que Oxum precisava ser acalmada. Ifá disse que ela trazia um filho no ventre e que a criança poderia consertar tudo de ruim que estava havendo. Para isso, entretanto, este filho teria que nascer como resultado da interação de Oxê com Oturá, dois odus de muito respeito e que chegam a ser perigosos. Tal coisa aconteceria apenas com a concordância de Oxum e com a entrega de uma oferenda feita por todos os orixás. Eles então correram até Oxum, que só concedeu seu perdão depois de muito relutar. Feita a oferenda, nasceu Oxeturá, considerado um odu tão importante quanto os dezesseis odus mais velhos, a ponto de ser chamado de 'décimo sétimo odu' e 'odu da salvação'. Foi Oxeturá quem pôde salvar o mundo, e é por isso que hoje recorremos a ele nos casos mais extremos. Mas é preciso muita firmeza e cautela para se trabalhar com este odu, que envolve preceitos muito fortes. Ele só obedece a Oxum, e não costuma ter duas palavras."

Oxum também tem laços com Exu, que aparece nos mitos ora como um aliado, ora como seu mensageiro. Exu Bará, em especial, é ligado à santa. É divindade masculina, mas apresenta-se com características femininas. Come galinha, e não galo. Diz-se em algumas casas nagôs que pessoas de Oxum costumam assentar Exu Bará ou Exu Iangui.

Ibêji, os gêmeos, acompanham Oxum. Em algumas versões dos mitos, são filhos dela com Xangô. Em outras, são filhos de Iansã – com Xangô ou, então, com Oxóssi –, mas criados por Oxum. Os erês dos candomblés nagôs, divindades infantis que se manifestam nos iniciados e muitas vezes são confundidas com Ibêji, têm ligação direta com o orixá de cada filho-de-santo. Os erês de Oxum são muitas vezes femininos, mesmo quando o iniciado é homem. Podem se apresentar, entre muitos outros, com os nomes de Princesinha, Peixinha, Jasmim, Gansinho (jamais "Patinho", pois o pato é quizila de Oxum), Estrelinha de Ouro, Pingo de Ouro, Potinho Dourado, Conchinha (nome também dado a alguns erês de Iemanjá), Lavadeira, Cozinheira, Costureira (é este o nome do erê de uma ialorixá ligada à Casa Branca do Engenho Velho, de Salvador). As crianças da umbanda (a "falange de Ibeijada", espíritos infantis) estão sempre junto de Mamãe Oxum, a quem respeitam e obedecem.

Outra divindade com quem Oxum guarda estreita ligação é Logun-Edé, orixá tido nas casas nagôs como uma das qualidades de Oxóssi, mas cuja identidade o coloca um tanto à parte. Suas origens míticas são cercadas de mistério pelos antigos do candomblé. Diz-se em geral que Logun-Edé é filho de Inle, conhecido no Brasil como um tipo de Oxós-

• OXUM •

si, mas na África cultuado no rio Erinle como divindade das águas. A mãe de Logun-Edé, de acordo com as versões mais correntes, é Oxum – em sua qualidade de Ieiê Pondá, para uns, ou de Ieiê Okê, para outros. Entretanto, Eduardo Napoleão, pesquisador e ebômi (iniciado de grau elevado) carioca ligado à raiz do Engenho Velho, diz que alguns antigos dessa casa de Salvador – bem como outros ligados ao Opô Afonjá – citam três qualidades de Logun-Edé, cujo conhecimento é reservadíssimo.

Seriam eles:

- *Labanan* – Qualidade cuja filiação é a mais conhecida, nasceu da união de Inle com Ieiê Okê.
- *Lebaim* – Filho de Airá com Oxum Abalu (ou Abalô).
- *Lelequara ou Alequara* – Filho de Ogum Uári com Ieiê Pondá. Tem enredo com Exu.

Eduardo lembra que, de qualquer modo, o caçador Logun-Edé é sempre filho de Oxum. Para ele, o fato de ser considerado por muitos como filho de

· OXUM ·

Inle com Oxum Pondá é resultado da confusão estabelecida entre estes três "caminhos" ou qualidades pouco divulgadas de Logun-Edé, cada um deles filho de um diferente orixá masculino com uma diferente qualidade de Oxum. Com efeito, já ouvi um antigo dizer, à boca pequena, que Logun-Edé seria na verdade filho de Xangô Airá, tendo sido criado por Oxóssi.

E, por falar em Oxóssi, é possível lembrar da ligação que Oxum tem com os caboclos e caboclas, espíritos de índios cultuados em quase todas as religiões afro-brasileiras, que os identificam com Oxóssi, o orixá caçador que vive no mato. Na umbanda, assim como no culto aos encantados, a cabocla Jurema é ligada a Oxum, sendo considerada uma cabocla virgem. É, portanto, protetora das mocinhas donzelas. Na encantaria nordestina, há a presença das entidades Tata Andorinha e Pomba Juriti, ligadas a Oxum – e por vezes sincretizadas com o próprio orixá. Alguns ramos do candomblé nagô-kêtu não cultuam os caboclos, embora seus mais-velhos tenham por eles grande respeito. Nos terreiros de kêtu que tratam de caboclo, entretanto, diz-se que eles não têm ligações com os orixás. O que não vale para a umbanda: o caboclo Mata Virgem, assim como muitos de seus "manos", diz-se filho de Oxum.

Oxum estende ainda suas relações míticas ao domínio dos eguns, os espíritos de ancestrais cultuados nas casas nagôs, especialmente em terreiros que funcionam com este único fim, chamados "lessé egum" (literalmente "aos pés de egum") em distinção aos candomblés "lessé orixá". Os sacerdotes mais destacados, depois de falecidos, são reverenciados na condição de eguns, protegendo sua família e a comunidade religiosa à qual estão vinculados. Muitos, em vida, eram de Oxum. É o caso de Babá Aió (cujo nome pode ser traduzido como "pai da alegria"), egum de um antigo iniciado de Oxum, cultuado no Ilê Agboulá, na ilha baiana de Itaparica.

4 | MITOS

As narrativas míticas têm importância fundamental no rico e complexo sistema simbólico dos terreiros. É o conhecimento mítico, afinal, que sustenta toda a tradição religiosa afro-brasileira. As histórias de orixá (chamadas de *itan* nas casas nagôs), nessa medida, servem não apenas para revelar atributos e predileções das divindades, suas relações entre si ou com os seres humanos, mas sobretudo para construir as imagens arquetípicas que compõem o imaginário do povo-de-santo – o qual, a partir delas, pauta sua própria identidade.

· OXUM ·

É por meio das histórias de orixá que podemos compreender muitas particularidades dos rituais. Por que não se come peixe de pele nas casas nagôs? Por que Oxalá, que só usa branco, prende às vezes uma pena vermelha na testa, o ecodidé? Por que Iansã, em algumas cantigas, dança estendendo os braços como se estivesse afugentando alguém? Por que Xangô carrega Oxalá nas costas? Por que Oxaguiã usa o pilão? Por que Oxum e Obá "não se dão"? Por que Xangô gosta tanto de quiabo? Por que Xangô Baru é exceção e não aceita quiabo? Por que Xangô Airá não come dendê? Por que Iemanjá é a "dona da cabeça"? Por que as primeiras gotas de sangue do sacrifício escorrem para o chão? Por que filhos de Logun-Edé não vestem roupas vermelhas? Por que Exu recebe oferendas antes dos outros orixás?

Todos esses porquês – entre muitos e muitos outros – encontram resposta nos mitos. As histórias das divindades são transmitidas pela tradição oral – e, é claro, variam de nação para nação, de casa para casa, de mais-velho para mais-velho e mesmo de ocasião para ocasião. Algumas narrativas contradizem outras, o que se explica não apenas por sua reprodução de "boca-a-ouvido", em que vão surgindo criações e deturpações, mas também porque no país iorubá os orixás não aparecem de forma homogênea: no tempo da diáspora, um orixá podia ser cultuado numa região e ser praticamente desconhecido em outra; da mesma forma, a divindade tutelar de uma cidade não tinha o mesmo prestígio em um povoado estranho ou inimigo. Assim, é preciso sempre relativizar – principalmente quando nos deparamos com essas narrativas já transcritas, sem maiores contextualizações. "Cada qual no seu cada qual", costumam dizer os antigos.

Estão aqui reunidas algumas histórias que dão idéia do imenso repertório mítico de Oxum.

OXUM E ORUMILÁ

Do nagô de Alagoas, narrada pelo ogã Carlos Alexandre De Camillis, o Cacau.

· OXUM ·

Oxum, bela princesa, estava aprisionada no castelo de Xangô. Muito infeliz, estava apaixonada por Orumilá, o grande orixá da sabedoria e da adivinhação. Oxum vivia na janela do seu quarto a conversar com os pássaros. Todas as manhãs Oxum repetia uma certa cantiga, tentando ensiná-la às pombas-rolas. Certo dia, a menor das pombinhas respondeu à cantiga, cantando-a da mesma forma. Oxum, feliz, pediu a essa pomba-rola que fosse procurar seu amado Orumilá e que para ele repetisse a cantiga. A pomba-rola assim fez, cantando para Orumilá:

Omin iaiá, omin iaiá
Oxum e Orumilá
Omin iaiá, omin, iaiá
Oxum e Orumilá

Ao ouvir a cantiga, Orumilá compreendeu o recado e seguiu a pomba-rola até o palácio onde Oxum estava aprisionada. Ao avistar sua amada na janela, Orumilá pediu ao pássaro que levasse até Oxum um atim, pó mágico. Esta, ao recebê-lo, esfregou-o em seu corpo, fazendo o ixé, a mágica: Oxum transformou-se, ela própria, numa pomba-rola, voando de sua janela até onde Orumilá estava. Então Orumilá passou novamente um pouco desse pó na pomba, que logo voltou a ter a forma de Oxum. Assim, os dois puderam fugir juntos, vivendo em união.

OUTRA HISTÓRIA DE OXUM E ORUMILÁ

A pesquisadora Monique Augras recolheu em uma casa nagô-kêtu do Rio de Janeiro versão diferente do mito anterior (Augras: 164).

Oxum era filha de Orumilá. Casou com Xangô. Vaidosa, cheia de caprichos, sem o menor interesse pela vida doméstica, logo aborreceu Xangô, que a trancou na mais alta torre de seu palácio. Além do castigo, essa solução permitia que ele se sentisse de novo livre para seduzir as mulheres alheias. Foi Exu quem viu Oxum chorando, no alto da torre, e foi contar a Orumilá. Este preparou um pó mágico, que

Exu foi soprar em Oxum e a fez transformar-se em pomba, podendo assim fugir do castelo e retornar à casa de seu pai.

SEM OXUM, NÃO HÁ FILHOS
Mito recolhido no país iorubá por Pierre Verger (Verger, 1981: 174), admite várias versões nos candomblés brasileiros.

As mulheres que desejam ter filhos dirigem-se a Oxum, pois ela controla a fecundidade, graças aos laços mantidos com Iá Mi Ajé ('Minha Mãe Feiticeira'). Sobre este assunto, uma lenda conta o seguinte:

Quando todos os orixás chegaram à terra, organizaram reuniões onde as mulheres não eram admitidas. Oxum ficou aborrecida por ser posta de lado e não poder participar de todas as deliberações. Para se vingar, tornou as mulheres estéreis e impediu que as atividades desenvolvidas pelos deuses chegassem a resultados favoráveis. Desesperados, os orixás dirigiram-se a Olodumare, e explicaram-lhe que as coisas iam mal sobre a terra, apesar das decisões que tomavam em suas assembléias. Olodumare perguntou se Oxum participava das reuniões e os orixás responderam que não. Olodumare explicou-lhes então que, sem a presença de Oxum e do seu poder sobre a fecundidade, nenhum de seus empreendimentos poderia dar certo. De volta à terra, os orixás convidaram Oxum para participar de seus trabalhos, o que ela acabou por aceitar depois de muito lhe rogarem. Em seguida, as mulheres tornaram-se fecundas e todos os projetos obtiveram felizes resultados.

OXUM, A COZINHEIRA

Variante do mito anterior, esta história é narrada pelo babalawo Zero, brasileiro feito em Cuba. Esta versão coincide ainda com a apresentada pelo ogã Cacau, iniciado na tradição nagô alagoana, em que Oxum figura como humilde cozinheira – mas poderosa divindade.

· OXUM ·

No princípio do mundo, conta-se, Oxum era a cozinheira dos orixás. Por conta disso, não era respeitada. Inconformada, Oxum começou a perturbar todos com seus feitiços e pós mágicos – até que os demais orixás passaram a tratá-la com respeito e consideração. Assim, é o único orixá que, sendo *menor* (de acordo com a tradição cubana), pode suprir a todos, mesmo a Obatalá (Oxalá).

A DESAVENÇA ENTRE OXUM E OBÁ
Duas versões do mesmo mito transcritas e comentadas por Pierre Verger (Verger, 1999: 404). A primeira delas é corrente em terreiros da tradição nagô no Brasil, com algumas variantes.

Eis o que [...] narraram-me em Oxogbô:
"Xangô tinha três mulheres, Oiá (Iansã), Oxum e Obá. Oxum cozinhava muito bem para Xangô e ele muito a amava. Certo dia ela pregou uma peça em Obá, que sempre procurava surpreender os segredos culinários que asseguravam a Oxum o amor de

· OXUM ·

Xangô. Oxum pôs um grande cogumelo achatado, em forma de orelha, na sopa destinada a Xangô e ele extasiou-se com a excelência da refeição. Obá vai encontrar-se com Oxum e a surpreende com um lenço enrolado em torno da cabeça, que esconde suas orelhas. Pergunta-lhe o que fez para preparar um prato tão delicioso. Oxum responde que ela cortou as orelhas e as colocou na sopa. Obá, desejosa de obter as boas graças de Xangô, quando chega a sua vez de cozinhar, corta uma orelha e a coloca na sopa. Xangô encontra uma orelha em seu prato e grita: 'Mas o que é isto? Não posso comer semelhante coisa!' Fica enfurecido. Nesse meio tempo, Oxum, desfazendo o lenço atado em torno da cabeça, mostra a Obá suas duas orelhas intactas. Obá, furiosa, avança para bater nela. Oxum transfoma-se num rio e Obá noutro. No lugar onde esses dois rios se encontram a água sempre é agitada.

"Quando se atravessa um desses rios, não se deve pronunciar o nome do outro, sob pena de afogar-se.

· OXUM ·

"Daí o ditado *Ọba má bọṣun*' (não se pode sacrificar ao mesmo tempo a Obá e a Oxum), que se diz todas as vezes que dois irmãos brigam.

Contaram-me em Ouidah a mesma lenda, com uma variante:

"Xangô tinha três mulheres, Oiá (Iansã), Oxum e Obá. Esta última e Oxum viviam brigando. Certo dia, Obá fazia companhia a Xangô e Oxum cozinhava. A primeira disse à segunda que era a vontade de Xangô que o fogo da cozinha fosse feito com troncos de bananeira. É claro que o fogo não pegou, e quando Xangô voltou a refeição não estava pronta. Xangô ficou furioso.

"Mais tarde foi a vez de Oxum fazer companhia a Xangô. Com o intuito de vingar-se, ela disse a Obá que era vontade de Xangô que a orelha de Obá servisse para preparar a refeição da noite. Quando Xangô voltou, encolerizou-se mais uma vez e as duas mulheres ciumentas brigaram.

"No Brasil, quando Obá se manifesta, o que é raro, uma das orelhas de seu 'cavalo' é dissimulada para recordar essa lenda. Se Oxum estiver presente, igualmente manifestada em uma de suas filhas-de-santo, os dois orixás sempre querem brigar, e é preciso apartá-los."

OUTRA VERSÃO: OBÁ E O TAPETE DE ROSAS
Passagem da tradição do nagô de Alagoas, narrada pelo ogã Cacau. Segundo ele, esta história se passou antes do episódio em que as artimanhas de Oxum fazem Obá perder a orelha, mostrando assim que "não foi Oxum quem começou tudo".

Oxum e Obá, ambas esposas de Xangô, tinham rixa antiga, com ciúmes uma da outra. Mas conviviam bem, dentro do possível. Até que um dia Obá resolveu convidar Oxum para uma festa, em seu palácio.

Oxum, que era a convidada de honra, vestiu um belo vestido, enfeitou-se com jóias, perfumou-se e foi com sua comitiva até o palácio de Obá. Quando lá chegou, viu que havia um lindo e comprido tapete de pétalas de rosas, já no salão principal, estendido em sua honra.

Então Oxum pisou no tapete – descalça, como os orixás sempre andam – e teve uma desagradável surpresa: Obá pusera brasas escondidas debaixo das pétalas de rosas. Os pés de Oxum começaram a arder, mas ela, altiva, não quis demonstrar nenhum sinal de dor. Foi andando por todo o tapete sem reclamar, sorrindo majestosa para todos.

Oxum nada falou com Obá. Ficou à espera de um dia em que pudesse responder à altura. Os pés de Oxum ficaram queimados – e é por isso que até hoje ela pisa macio.

OXUM ACALMA OIÁ E OBÁ
Em outra narrativa sobre as desavenças entre as mulheres de Xangô, Oxum aparece como apaziguadora. A história, conhecida em Cuba, é contada de maneira resumida pelo babalawo José Roberto Brandão Telles, o Zero.

Oxum é a "*más pequeña*" entre os orixás, menor que Oiá (Iansã) e Obá, mas acabou por fazer com que os maiores respeitassem os menores; foi ela que, com sua magia, conseguiu anular a ação destruidora de Oiá e Obá, quando disputavam o amor de Xangô.

OXALÁ E A PENA VERMELHA

Mito da tradição nagô-kêtu narrado por Juana Elbein dos Santos (Santos: 87-88), aqui transcrito de forma ligeiramente resumida. A pena vermelha ecodidé é tida como representação do sangue menstrual e, por extensão, do poder feminino de procriação. Monique Augras comenta este mito: "A iniciação é um nascimento, e o poder da fecundidade tem de estar presente. Pois Oxum mostrou que a menstruação, em vez de constituir motivo de vergonha e de inferioridade das mulheres, pelo contrário, proclama a realidade do poder feminino, a possibilidade de gerar filhos" (Augras: 161).

· OXUM ·

Uma filha de Oxum, Omó-Oxum, servia a Oxalá e estava encarregada de cuidar de seus paramentos, em especial de sua coroa. Dias antes da grande festa anual do orixá, algumas seguidoras de Oxalá, invejosas da posição da filha de Oxum, decidiram roubar a coroa e jogá-la nas águas. Quando Omó-Oxum descobriu o furto, já era tarde. Uma menina que ela criava aconselhou-a a comprar, no dia seguinte bem cedo, o primeiro peixe que ela encontrasse no mercado. Mas Omó-Oxum não conseguiu encontrar nenhum peixe ali. No caminho de volta, porém, encontrou um rapaz que carregava um grande peixe em sua cabeça. Comprou-o, mas, ao chegar em casa, tentou abri-lo de todo jeito, sem conseguir – o que só aconteceu, com a maior facilidade, depois que usou um cacumbu, pedaço de faca já velha e gasta. Pois ali, dentro da barriga do peixe, estava a coroa de Oxalá. Chegado o dia da grande cerimônia, as invejosas, sabendo que a filha de Oxum havia encontrado a coroa, decidiram fazer um trabalho mágico

OXUM

para que Oxalá se aborrecesse com ela. Elas colocaram um preparado na cadeira de Omó-Oxum, que ficava ao lado do trono de Oxalá. Todos estavam reunidos e esperavam de pé a chegada do grande orixá. Quando este chegou, sentou e fez sentarem os presentes. Em seguida, pediu a Omó-Oxum que lhe entregasse seus paramentos. Quando ela quis levantar, não conseguiu. Depois de tentar várias vezes, já em desespero, acabou por desprender-se da cadeira, sangrando muito em suas partes baixas e manchando tudo à sua volta. Oxalá, cujo tabu é o vermelho, levantou-se, irritado, e a filha de Oxum fugiu envergonhada. Omó-Oxum saiu em busca de ajuda, batendo à porta de todos os orixás, mas nenhum quis recebê-la. Apenas Oxum a acolheu, afetuosamente, e cuidou de sua ferida, transformando o corrimento sangüíneo em penas vermelhas do odidé – um tipo de papagaio. Estas penas, chamadas ecodidé, iam caindo dentro de uma cabaça, colocada para recebê-las. Diante desse mistério, todos comemoraram o prodigioso feito de Oxum. Os tambores começaram a tocar, correram de todas as partes para assistir ao acontecimento. Fez-se uma grande festa. Todas as noites Oxum abria suas portas para receber os visitantes, que, ao entrar, apanhavam um ecodidé e depositavam búzios (dinheiro) numa cuia colocada ao lado. Todos os orixás vieram tomar parte no acontecimento. Por fim, o próprio Oxalá foi atraído pelas festividades. Foi à casa de Oxum e, como os outros, saudou-a com o dodobale, cumprimento ritual, apanhou um ecodidé e o prendeu em sua cabeça. Uma cantiga relembra até hoje esta passagem:

Òdòfin dòdòbálẹ k'obinrin

(Odofin – um dos nomes de Oxalá – prostra-se no chão diante da mulher.)

Mesmo o grande orixá faz o dodobale (ou adobá), estendendo-se no chão e tocando-o com o peito, em sinal de respeito e submissão diante do poder da gestação.

• OXUM •

OXUM, MÃE DA BELEZA

Mãe Beata, conhecida ialorixá com casa aberta em Miguel Couto, na Baixada Fluminense, é filha-de-santo da venerável Olga do Alakêtu, de Salvador, matriarca de uma linhagem de terreiros nagô-kêtu paralela à do Engenho Velho. É Mãe Beata quem transcreve o seguinte mito de Oxum, em seu livro Caroço de dendê *(Beata de Yemonja: 43-44).*

Existia numa aldeia uma sociedade só de mulheres virgens. Essas mulheres eram compradas por homens de posse só para casar com reis e príncipes, e elas passavam por ensinamentos de anciãs. Existia, nesta aldeia, uma mocinha muito pobre e feia. Seu pai vivia muito triste e, um dia, disse:

— Eu sei que nunca vou achar um comprador para você, por isso vou te levar eu mesmo para o ensinamento das anciãs.

A menina ficou muito triste, chorou e foi deitar. Então, chegou uma mulher muito bonita à sua cama, com uma cuia tampada na mão, e disse:

— Olhe, amanhã é dia de os compradores virem. Eles vêm trazendo um príncipe para ele mesmo escolher uma mulher. Tem aqui ossum [pó avermelhado], uáji [pó azulado], obi [noz-de-cola] e ecodidé [pena vermelha de um tipo de papagaio africano]. Você come o obi e o resto passa no corpo. A pena de ecodidé você coloca na testa como enfeite. Fique na janela, porém não diga nada a seu pai, pois ele vai para a roça e não deve saber.

A mulher entregou-lhe a cuia e a mocinha tornou a pegar no sono. De manhã, deixou o pai sair e fez tudo como a mulher mandou. Atou a pena na testa com uma ikô, uma palha-da-costa. Neste momento, vinha passando uma caravana com o príncipe. Ele olhou para a janela e, vendo a mocinha, ficou encantado.

— Que coisa linda! Será que é o que eu estou vendo?

Chegou perto da janela, dizendo:

— Minha iaô! Minha noiva!

Todos ficaram boquiabertos e ajoelharam-se em frente à janela, admirados com tanta beleza e com

· OXUM ·

a luz que emanava da bela donzela. O pai da menina veio chegando e o príncipe fez a oferta de casamento. Até o pai ficou admirado com tanta beleza. O casamento foi no outro dia, e, quando ela foi dormir, sonhou que outra vez chegava à sua cama a mulher, que lhe dizia:

– Olha, eu sou Oxum. E você é minha filha – e sumiu.

E a menina tornou-se uma princesa.

A INVENÇÃO DOS COSMÉTICOS
Contado pelo babalawo *José Roberto Brandão Telles, o Zero, brasileiro iniciado em Cuba.*

Contam que Oxum tinha o cabelo muito comprido. Certa feita, resolveu dá-lo a Iemanjá, em troca de panos de cores muito bonitas. Com o cabelo que ainda lhe restou, Oxum criou lindos penteados, nascendo assim a ciência dos cosméticos e do toucador.

TUDO É DE OXUM?

Anotado pelo professor Agenor Miranda Rocha (Rocha: 71-73), este mito da tradição nagô-kêtu está associado ao "quarto caminho" do odu Oxê, um dos signos de Ifá que se revela no jogo de búzios. A seguinte história é muitas vezes contada nas casas de candomblé quando se ensina sobre a maneira certa de pedir e rogar aos orixás. As palavras, insistem os mais-velhos, têm muito poder. Devemos ter cuidado, portanto, com o que pedimos – e, sobretudo, com o que prometemos. O pivô desta narrativa – a princesa Tudo – aparece com o nome de Prenda Bela na versão transcrita por Reginaldo Prandi em seu Mitologia dos Orixás (Prandi: 334).

Temos como base que havia um grande guerreiro, valioso na expressão da palavra, o qual, a caminho de atacar um povoado, tinha de atravessar na fronteira um caudaloso rio, que formava uma cachoeira chamada Oxum.

Esse general de guerra, depois de ter chegado à borda e não podendo passar para a outra margem do rio, resolveu protestar em alta voz, dizendo que daria tudo, sem arrependimento, a Oxum, se pudesse passar com seu exército naquele lugar. Ditas estas palavras, a cachoeira secou imediatamente e os soldados atravessaram, saindo-se muito bem em uma campanha vitoriosa.

Vinha ele de volta da guerra, quando, chegando à beira do rio, este começou a encher as águas de uma tal forma que tornava impossível ao general tornar a passar. Todos ficaram confusos sem saber o que fazer para se verem livres de semelhante situação.

Então, chegou ao conhecimento do chefe da guerra que a condição para que o rio vazasse era que ele entregasse a sua filha única, cujo nome era Tudo, pois ele tinha prometido Tudo a Oxum. De fato, ele prometera dar de tudo, mas Oxum entendeu que era a princesa Tudo. Que dor não foi ouvir essas palavras terríveis! Porém, ele não teve outro jeito senão mandar botar sua filha Tudo n'água, e ela desapareceu nas ondas. Nesse momento, as águas começaram a baixar e em poucas horas o rio estava sequinho. Atravessaram as forças e o grande general, este com a maior das mágoas por ter perdido a sua descendente dileta.

É de se notar que, para quem se botar esta mesa, esse caminho previne que há ou haverá um mal-entendido inevitável, incontornável mesmo. Deve-se fazer o máximo possível para evitar o constrangimento, porém poderá terminar bem, se fizer por isso.

A PROTETORA DAS CRIANÇAS
De origem presumidamente africana, este mito é relatado pela norte-americana Ladekoju Lakesin (Lakesin: 95-98).

Orumilá, orixá da sabedoria e da adivinhação, foi o primeiro esposo de Oxum. Um essé (relato) do odu Ogundá-xê, um dos 256 signos do sistema de Ifá, conta que Orumilá deu a ela dezesseis búzios como presente de núpcias, ainda hoje usados pelos sacerdotes de Oxum para se comunicarem com os céus em favor de seus seguidores. Orumilá também permitiu à bela Oxum que fosse cultuada no mesmo dia em que ele.

Infelizmente, Oxum não ficou grávida durante o casamento. De acordo com as tradições africanas, tal fato é uma desgraça, pois filhos são a prioridade de todo casal. Já aflita com a situação, ela resolveu dar a seu marido o direito de ter filhos e, relutantemente, deixou Orumilá.

Nove meses depois, Oxum conheceu seu segundo esposo: Xangô Aieledjê. Os dois descobriram instantaneamente que suas personalidades se completavam, e foram muito felizes como marido e mulher. Entretanto, sua adoração um pelo outro não remediou a incapacidade de Oxum em conceber filhos de seu novo marido. Muito desapontados, eles realizaram vários rituais, sem conseguir nenhum proveito. Mas Oxum não desistiu. Ela conversou com Xangô e ambos concordaram que ela deveria voltar para o seu primeiro marido, o adivinho Orumilá, pedindo que ele consultasse Ifá para apurar o que estava acontecendo.

· OXUM ·

Quando Oxum chegou à casa de Orumilá, ele ficou feliz em vê-la e foi imediatamente consultar Ifá. Orumilá assegurou a Oxum que esta história de não ter filhos iria logo terminar. Sua solução estava no palácio de Orum, o céu: era para lá que Oxum deveria viajar, a fim de buscar sua cura. Sua esterilidade se transformaria em fertilidade, e Olodumare, a divindade suprema, abriria as portas para as crianças virem ao mundo. O adivinho aconselhou Oxum a reunir os itens que haviam saído no jogo, para que se oferecesse um sacrifício especial em sua intenção. Assim foi feito.

Quando se deu por conta, Oxum estava nos céus escutando a voz de Olodumare, que perguntou a ela qual a razão de estar ali. Oxum ficou atônita, e Olodumare pediu-lhe que se acalmasse. Depois de oferecer a Oxum um lugar para se sentar, Ele começou a contar histórias de seres que vinham ao céu para fazer pedidos semelhantes, lembrando que as crianças do céu fugiam deles sem razão aparente.

Então Olodumare abriu a porta de onde as crianças estavam. Era a visão mais linda que se poderia ter. Oxum olhou maravilhada para uma multidão de meninos e meninas, que corriam para cima e para baixo, em grande algazarra. Quando as crianças viram Oxum, correram em sua direção. Ela então ofereceu-lhes doces, e assim mais e mais crianças aglomeravam-se ao seu redor. Todos foram seguindo Oxum, que se encaminhava para a divisa entre o céu e a terra. Porém, logo que chegaram a este ponto, as crianças pararam abruptamente. Oxum deu às crianças as últimas gostosuras do pote no topo de sua cabeça e voltou para o mundo.

Na sua chegada, entretanto, Oxum notou que as crianças não a haviam acompanhado e começou a chorar. Ela se debulhou em lágrimas e contou a Orumilá o que acontecera.

Orumilá aconselhou Oxum a não mais chorar, dando-lhe parabéns. Ele lhe contou que ela estava grávida e deveria parir logo. Não foi de outro modo. Quando Oxum ficou grávida de três meses, outras mulheres estéreis também engravidaram. E, quando a gravidez atingiu o nono mês, nada podia segurar os recém-nascidos que vinham ao mundo. Oxum usou ainda seus segredos para baixar as febres de seus filhos. Orumilá recomendou que as mulheres fizessem oferendas em favor de suas crianças e também de Oxum para demonstrar sua gratidão.

Toda vez que estas oferendas são entregues, deve-se entoar uma cantiga cujo significado é:

> Saudações à Grande Mãe; aquela que usa jóias de bronze para acalmar a criança.

Oxum passou a ser venerada na terra iorubá. Ela curou as febres de todas as crianças, que não tiveram nenhuma dificuldade desde então. Foi assim que Oxum ganhou o título de Irunmalé Olomowewê, divindade protetora das crianças.

OXUM NAVEZUARINA CEGA, MAS CURA

Transcrita por Reginaldo Prandi, esta narrativa foi recolhida por Rita Segato em uma casa do rito tambor-de-mina, no Maranhão, de origem jeje. Fala de um vodum (divindade correspondente aos orixás nagôs, entre os jejes) com o nome de Navezuarina, associado a Oxum (Prandi: 326). Queviossô, mencionado na história, é vodum assemelhado a Xangô.

Um dia houve uma grande guerra entre as tribos. Nessa guerra os soldados aprisionaram diversas moças. Uma delas era uma virgem chamada Navezuarina. Quando os raptores levavam as moças aprisionadas, Navezuarina invocou sua força mágica e fez surgir um imensíssimo clarão. O clarão cegou os guerreiros que levavam as prisioneiras. Os soldados ficaram perambulando no mato, sem direção. Como eles já nada enxergavam, elas pensaram em fugir e voltar para sua aldeia.

Navezuarina, que é outro nome de Oxum, pegou uma cuia e preparou uma poção com ervas. Ela passou a mistura nos olhos dos guerreiros e eles recobraram a visão. Agradecidos, soltaram todas as prisioneiras. Elas voltaram ao seu lar no país dos nagôs. Navezuarina voltou para casa com as amigas, voltou em companhia de Dantã e as outras. Todas voltaram para sua aldeia, onde são sacerdotisas da casa de Queviossô. E elas andam juntas até hoje, usando sempre roupas cor-de-rosa.

OXUM, PADROEIRA DE OXOGBÔ
Mito recolhido por Pierre Verger (Verger, 1981: 175). O rio mencionado na narrativa é o próprio rio Oxum, que banha a cidade de Oxogbô – principal local de culto ao orixá Oxum, no país iorubá.

Laços muito estreitos existem entre Oxum e os reis de Oxogbô. Neste lugar, a festa anual das oferendas a Oxum é uma comemoração pela chegada de Larô, fundador da dinastia, às margens deste rio cujas águas correm permanentemente.

Conta-se que Larô, depois de muitas atribulações, achando o local favorável ao estabelecimento de uma cidade, aí se fixou com a sua gente. Alguns dias depois de sua chegada, uma de suas filhas foi banhar-se no rio e desapareceu sob as águas. Reapareceu no dia seguinte, soberbamente vestida, declarando ter sido muito bem acolhida pela divindade do rio. Larô, para demonstrar a sua gratidão, dedicou-lhe oferendas. Numerosos peixes, mensageiros da divindade, vieram comer, em sinal de aceitação, as comidas que Larô havia jogado nas águas.

Um grande peixe, que nadava próximo ao local onde este se encontrava, cuspiu-lhe água. Larô recolheu esta água numa cabaça e bebeu, fazendo assim um pacto de aliança com o rio. Estendeu, depois, as duas mãos para a frente e o grande peixe saltou sobre elas. Larô recebeu o título de Ataojá – contração da frase iorubá *A teuó gbá ejá* ("Ele estende as mãos e recebe o peixe") – e declarou: *Oxum gbô* ("Oxum está em estado de maturidade"), suas águas serão sempre abundantes.

Essa foi a origem do nome da cidade de Oxogbô.

A DANÇA DO AMOR SALVOU A HUMANIDADE
Transcrita por Reginaldo Prandi com base no relato do babalawo (sacerdote de Ifá) cubano Efún Moyiwá, o

· OXUM ·

seguinte mito também é narrado pelo babalawo Zero, brasileiro iniciado em Cuba. Optei pela versão registrada em livro, mais rica em detalhes (Prandi: 321-323).

Perante Obatalá, Ogum havia condenado a si mesmo a trabalhar duro na forja para sempre. Mas ele estava cansado da cidade e da sua profissão. Queria voltar a viver na floresta, voltar a ser o livre caçador que fora antes. Ogum achava-se muito poderoso, sentia que nenhum orixá poderia obrigá-lo a fazer o que não quisesse. Ogum estava cansado do trabalho de ferreiro e partiu para a floresta, abandonando tudo.

Logo que os orixás souberam da fuga de Ogum, foram a seu encalço para convencê-lo a voltar à cidade e à forja, pois ninguém podia ficar sem os artigos de ferro de Ogum, as armas, os utensílios, as ferramentas agrícolas. Mas Ogum não ouvia ninguém, queria ficar no mato. Simplesmente os enxotava da floresta com violência. Todos foram lá, menos Xangô.

E como estava previsto, sem os ferros de Ogum, o mundo começou a passar mal. Sem instrumentos para plantar, as colheitas escasseavam e a humanidade já passava fome.

Foi quando uma bela e frágil jovem veio à assembléia dos orixás e ofereceu-se a convencer Ogum a voltar à forja. Era Oxum a bela e jovem voluntária. Os outros orixás escarneceram dela, tão jovem, tão bela, tão frágil. Ela seria escorraçada por Ogum e até temiam por ela, pois Ogum era violento, poderia machucá-la, até matá-la. Mas Oxum insistiu, disse que tinha poderes de que os demais nem suspeitavam. Obatalá, que tudo escutava mudo, levantou a mão e impôs silêncio. Oxum o convencera, ela podia ir à floresta e tentar.

Assim, Oxum entrou no mato e se aproximou do sítio onde Ogum costumava acampar. Usava ela tão-somente cinco lenços transparentes presos à cintura em laços, como esvoaçante saia. Os cabelos soltos, pés descalços, Oxum dançava como o vento e seu corpo desprendia um perfume arrebatador.

Ogum foi imediatamente atraído, irremediavelmente conquistado pela visão maravilhosa, mas se

• OXUM •

manteve distante. Ficou à espreita atrás dos arbustos, absorto. De lá admirava Oxum embevecido. Oxum o via, mas fazia de conta que não. O tempo todo ela dançava e se aproximava dele, mas fingia sempre que não dera por sua presença.

A dança e o vento faziam flutuar os cinco lenços da cintura, deixando ver por segundos a carne irresistível de Oxum. Ela dançava, o enlouquecia. Dele se aproximava e, com seus dedos sedutores, lambuzava de mel os lábios de Ogum. Ele estava como que em transe. E ela o atraía para si e ia caminhando pela mata, sutilmente tomando a direção da cidade. Ogum não se dava conta do estratagema da dançarina. Ela ia na frente, ele a ia acompanhando inebriado.

Quando Ogum se deu conta, eis que se encontravam ambos na praça da cidade. Os orixás todos estavam lá e aclamavam o casal em sua dança de amor. Ogum estava na cidade, Ogum voltara!

Temendo ser tomado como um fraco, enganado pela sedução de uma mulher bonita, Ogum deu a entender que voltara por gosto e vontade própria. E nunca mais abandonaria a cidade ou a forja. E os orixás aplaudiam e aplaudiam a dança de Oxum.

Ogum voltou à forja e os homens voltaram a usar seus utensílios e houve plantações e colheitas e a fartura baniu a fome e espantou a morte.

Oxum salvara a humanidade com sua dança de amor.

OXUM SALVA O MUNDO NA FORMA DE UM URUBU

Corrente na tradição cubana, esta lenda de Oxum parece ser desconhecida nas casas de culto afro-brasileiro, embora trate de Ibu Kolê, nome semelhante a Oxum Akolê, qualidade cultuada no Brasil. É narrada pelo babalawo Zero. Uma variante foi transcrita por Reginaldo Prandi, recolhida junto a um sacerdote cubano (Prandi: 341-343). A ave referida no mito cubano não é exatamente o urubu, como traduzido por Zero, ou o abutre, como registrado por Prandi. Trata-se da aura tiñosa, *nome que se dá em Cuba a uma espécie comum nas Américas, cujo nome científico é* Cathartes aura. *No Brasil, é chamada popularmente de urubu-caçador ou urubu-da-cabeça-vermelha. Não é, portanto, nem o urubu comum* (Coragyps atractus) *nem o abutre-negro* (Aegypius monachus). *Ornitologia à parte, vamos à história.*

Há muito tempo, o aiê (a terra) estava em guerra com o orum (o céu). O aiê acabou sendo castigado por seu orgulho, vaidade e arrogância. Deu-se um grande dilúvio, e tudo na Terra estava se perdendo em inundações. Os pássaros, então, foram incumbidos pelos viventes de chegar até Olodumare, o deus supremo, levando até Ele o pedido de perdão do aiê e implorando o fim do castigo. Mas o esforço dos pássaros foi em vão; nenhum deles conseguia alcançar a morada de Olodumare, que era muito distante.

Foi quando o urubu disse que poderia chegar até o orum e falar com Olodumare. Todos começaram a rir: como um pássaro tão feio e imundo poderia se atrever a tanto? Mas ninguém sabia que Oxum, nesta etapa de sua vida, era o urubu, na verdade. Ela conseguiu ir até Olodumare, transmitindo o pedido do aiê, e conseguiu o perdão do deus supremo.

Assim, Oxum converteu-se em mensageira de Olófin – outro nome do Criador. É por isso que todos os orixás que vão ser feitos têm de ir até Oxum prestar contas do que irá acontecer, para que a iniciação corra tranqüila e sem problemas. A qualidade de Oxum que foi ao céu, na forma de um urubu, chama-se Ibu Kolê.

DEUSA DO AMOR, OXUM É MULHER DE UM HOMEM SÓ
Mito corrente em Cuba, narrado pelo babalawo *Zero.*

Muitas pessoas que conhecem a religião dizem que Oxum foi uma mulher da vida. Isto é uma calúnia, já que ela teve amores com muitos orixás, mas em distintas etapas de sua vida. Em cada etapa,

Oxum foi sempre mulher de um homem só, nunca tendo dois de uma vez. Por este atributo, torna-se a deusa do amor, resultado da herança de sua mãe Yembô (Iemanjá). Estas duas santas têm ligação estreita, baseada no amor de mãe e filha; Iemanjá deixou a Oxum, por ser tão doce e bela, toda sua herança: o pavão real, o coral e sua coroa de rainha.

MUITOS AMORES, MUITAS HISTÓRIAS
Monique Augras, com base em pesquisa em candomblés cariocas, resume uma série de mitos que tratam dos amores de Oxum (Augras: 164).

São inúmeras as versões de seus amores: quando Oxum era casada com Ogum e Xangô a salvou do afogamento; quando ela era filha de Oxalá e obrigou Xangô a carregar seu velho pai nas costas para que este pudesse assistir ao casamento; quando exigiu que Xangô ficasse uma noite inteira deitado a seu pés sem tocá-la, como prova de amor; quando ela era neta de Obá, bem guardada no palácio, e Xangô venceu os guardas um a um.

OXUM VAI À GUERRA

Recolhida por Monique Augras, esta história é narrada por Mãe Sabina de Oxum, carioca, iniciada por uma ialorixá feita no Ilê Ogunjá, de Salvador. Comenta a pesquisadora que o mito "explica a lentidão de Oxum, muitas vezes extensiva a seus filhos, em seus atos e também na resposta aos pedidos que lhe são feitos" (Augras: 268).

Dizem que Oxum não briga, que vence tudo na calma. Inclusive na guerra. Quando foram convidá-la para lutar, ela estava se aprontando: se arrumando, se penteando. Foi tomar banho, foi pentear o cabelo, se perfumar... e assim o tempo passou. Quando ela acabou de se arrumar e resolveu sair, a guerra já tinha acabado.

GALINHA-D'ANGOLA, O PRIMEIRO IAÔ

Publicado em extensa etnografia sobre a galinha-d'angola na tradição religiosa afro-brasileira, este mito é narrado pela ialorixá Nitinha de Oxum, também conhecida por Ialoxundê, iniciada no candomblé do Engenho Velho, em Salvador (Vogel et al.: 113). O oxu, mencionado na história, é um pequeno cone de massa fixado em cima da cabeça raspada do filho-de-santo no momento da iniciação, semelhante à crista da galinha-d'angola. O adôxu (aquele que recebeu o oxu) é sinônimo de iniciado, nas casas nagôs.

Um dia Oxum estava sozinha. Muito sozinha... Resolveu então fazer a sua gente. Pegou uma galinha, catulou, raspou e pintou. Colocou na sua cabeça, no seu ori, o oxu. Fez, assim, o povo-de-santo; o primeiro iaô, que é a galinha-d'angola – um bicho que é feito.

OXUM IANLÁ FAZ EGUM DANÇAR

História recolhida na África por Pierre Verger (Verger, 1981: 175). Oxum Ianlá (ou Aialá) também é conhecida nos candomblés brasileiros.

· OXUM ·

Sobre Oxum Ianlá, chamada de "a Avó", diz-se que era uma mulher poderosa e guerreira, que ajudava Ogum Alagbedé, seu esposo, na forja, da mesma maneira que Oiá [Iansã]. Ogum forjava e, quando o ferro começava a esfriar, ele o colocava no fogo, atiçado por Oxum, que fazia funcionarem os foles em cadência. O barulho que eles faziam, "*kutu, kutu, kutu*", era ritmado e parecia que Oxum tocava um instrumento de música. Um Egungum que passava pela rua se pôs a dançar, inspirado pelo som que provinha dos foles. Os passantes maravilhados testemunharam seu contentamento oferecendo-lhe dinheiro. Muito honestamente, Egungum entregou metade da soma recolhida a Oxum, a Avó, o que lhe valeu ser denominada de:

"Tocadora de música num fole para fazer dançar Egungum.

Proprietária do fole que sussurra como a chuva,

e cuja tosse ressoa como urra o elefante."

5 | QUALIDADES

O conceito de "qualidade de orixá" deve ser visto com atenção. Qualidade, no jargão do candomblé, é termo que se refere a um dos vários tipos ou personificações de um mesmo orixá. Cada qualidade exibe suas peculiaridades, sem, contudo, deixar de ser o orixá em si. Entre as Oxuns, por exemplo: existem as mais novas, as mais velhas, as guerreiras, as maternais, as que têm "enredo" (ligação mítica) com este ou aquele orixá, cada uma com seu nome. Mas todas *são* Oxum.

· OXUM ·

Os *santeros* de Cuba usam a palavra "*camino*" (caminho) de orixá para se referir às diferentes manifestações de sua individualidade. Em inglês, possivelmente por influência cubana, usa-se o termo "*road*" (caminho, estrada).

Mais de uma vez, procurando conversar com mais-velhos sobre as qualidades de Oxum (assunto sobre o qual pouco se fala, aliás, considerado item reservado da sabedoria dos orixás), ouvi a seguinte comparação:

"Existem muitas Oxuns, assim como são muitos os trechos do rio. O rio tem sempre uma nascente, onde a água é cristalina e tranqüila. Daí por diante, seu curso d'água pode ser raso ou profundo, manso ou agitado, límpido ou barrento, largo ou estreito, sinuoso ou reto, plano ou encachoeirado. Até que desemboca em outro rio, e daí no mar. Assim também é Oxum, que pode se apresentar de muitas maneiras, mas continua sendo sempre ela mesma, esteja como estiver."

· OXUM ·

Apresento algumas listagens de qualidades de Oxum fornecidas por fontes ou informantes de origens diversas. Em certos casos, há grande disparidade de informações, por exemplo quanto ao número de qualidades que aparecem em cada lista – em apenas três delas contam-se dezesseis, número de Oxuns fixado pela tradição nagô (ao lado de doze Xangôs, sete Oguns, vinte e um Exus e dezesseis Oxalás). Monique Augras, a esse respeito, supõe que Pierre Verger "dá o nome de dezesseis Oxuns africanas, já que dezesseis é seu número simbólico" (Augras: 161).

Mas também há informações significativamente coincidentes: a comparação de alguns nomes ligeiramente diferentes, por exemplo, evidencia que se está tratando da mesma qualidade de Oxum (como em Ajagurá/Ajagira, Alá/Ianlá, Ijimun/Jimun/Ijumu/Yumu, Abalu/Abalô).

A primeira listagem é fornecida por Eduardo Napoleão, pesquisador e escritor, iniciado em 1975 no Rio de Janeiro por mãe Nitinha de Oxum. Essa renomada ialorixá é ligada à Casa Branca do Engelho Velho, de Salvador, uma das casas-matrizes do candomblé kêtu.

Aqui estão as dezesseis qualidades citadas por Eduardo, com seus comentários:

- Oxum Ominibu – É uma Oxum nova, que vive na nascente do rio. Não vira na cabeça de ninguém. Em seu lugar, faz-se Ieiê Ipondá. É correspondente à Ieiê Odô citada na listagem de Pierre Verger (ver mais adiante). Tem enredo com Oxóssi.
- Oxum Ijimun – É a rainha das Oxuns. Entre as que "pegam a cabeça" (manifestam-se) em seus filhos, é considerada a mais velha. É a única Oxum que no jogo de búzios não responde por meio do odu Oxê, falando por meio de Ojonilê – odu que traz Oxalá e que no jogo de Ifá tem o nome de Eji-Ogbê, o primeiro e mais velho de todos.
- Ieiê Alá – Esposa de Oxalá, veste branco. Também é ligada a Ogum Alabedé, "o ferreiro do

céu", orixá que igualmente veste branco. Ieiê, do iorubá "mamãe", é termo usado para designar algumas das qualidades de Oxum. Usa-se também a forma "Oxum Alá".

- Ieiê Otin – Mulher de Odé Otin, veste-se com roupas parecidas com a de seu esposo, usando especialmente a cor azul. Porta um ofá (insígnia que representa um arco-e-flecha) dourado, veste-se com "banda" (tira de pano cruzada sobre a bata), usa chapéu de couro. Os assentamentos de Ieiê Otin e Odé Otin ficam sempre juntos, lado a lado. Diz-se que Odé Otin é afável e prestativo, enquanto Ieiê Otin é ranzinza; ambos representam um par em que os temperamentos opostos se complementam.
- Oxum Apará – Oxum guerreira, tem estreita ligação com a qualidade de Iansã chamada Oiá Onira. Assenta-se sempre esta Iansã para quem é de Apará. Veste-se de rosa-claro e azul-claro. Segundo Eduardo, há antigos do candomblé que dizem que é Oxum Apará a verdadeira esposa

de Ogum Uári (qualidade de Ogum que vive nas águas), e não Ieiê Ipondá (ver mais adiante). É tida como Oxum que dá visão no jogo. Tem relações com Exu. Não come cabra, como as demais Oxuns, e sim o odan, o bode capado segundo preceitos rituais. Pouco antes de ser sacrificado a Oxum Apará, o membro do bode é oferecido a Exu Bará.

- Oxum Abalu – Esposa de Xangô.
- Oxum Ajagurá – Tem enredo com Aganju, qualidade de Xangô mais "carregada", ligada ao fogo. Guarda estreita ligação com Exu.
- Oxum Abotô – Também considerada esposa de Xangô, tem enredo com Iemanjá e recebe presentes no mar. Veste predominantemente o branco, com alguns detalhes em amarelo.
- Oxum Ipetu – Tem enredo com Obaluaiê, com quem entra no cemitério. Veste tecidos estampados, às vezes brilhosos, em que o amarelo predomina.
- Oxum Olokô – Vive no mato. É tida como adversária de Oxóssi, pois, segundo um mito, ele

acabou tendo de dividir a floresta com esta Oxum e Ossãe, depois de uma disputa.

- Oxum Merim – Rica e vaidosa, era esta a Oxum de Mãe Menininha do Gantois.
- Oxum Ipondá (ou Ieiê Ipondá) – Qualidade muito quente, guerreira, é tida como a mulher de Ogum Uári. Monta a cavalo. Diz-se que às vezes pega sua espada e sai a cavalo batendo de porta em porta, desafiando quem encontra para um duelo.
- Oxum Karê – Guerreira, tem enredo com Oxóssi Inle e Logun-Edé. É ligada a Odé Karê, caçador que vive na água e se apresenta à semelhança de uma iabá (orixá feminino).
- Oxum Onira – É irmã de Oiá Onira (embora esta qualidade de Iansã tenha enredo com Oxum Apará). Tem relação com Oxóssi. Diferencia-se de sua irmã por não ter ligações com os eguns.
- Ieiê Okê – Qualidade muito semelhante a Oxum Karê. Para alguns, inclusive, seria a mesma Oxum.

- Oxum Akolê – Muito parecida com Oxum Ipetu, também tem enredo com Obaluaiê.

Eduardo ainda menciona outra qualidade, fora desta lista, conhecida no batuque do Rio Grande do Sul, em casas da nação ijexá: Oxum Olobá, que seria correspondente à Ieiê Ipetu dos terreiros nagô-kêtu, ligada a Obaluaiê.

Outra listagem é fornecida por Carlos Alexandre de Camillis, o Cacau, escritor e ogã iniciado no rito do candomblé nagô de Alagoas, em 1973, no Rio de Janeiro. Cacau é filho-de-santo do falecido José Teixeira Martins, alagoano, sapateiro de profissão, conhecido como Zé Galeguinho. Este, por sua vez, foi iniciado em 1908 para Oxaguiã, por Bari, babalorixá africano com casa aberta na cidade alagoana de São Miguel dos Campos, vizinha à capital Maceió. Seu Zé Galeguinho, diz Cacau, chegou a pegar o tempo do "nagô rezado baixo", assim chamado por causa da impiedosa perseguição policial aplicada aos cultos africanos em Alagoas, nas primeiras décadas do século passado, que obrigava os adeptos do nagô a dispensarem os atabaques nas festas dos orixás, reunindo-se às escondidas e cantando em voz quase sussurrada.

Cacau, além de aprender a fundo os rituais de sua nação de origem, conta que, como era hábito no tempo dos antigos, teve acesso a conhecimentos básicos de outras nações, para saber como proceder quando em sua casa chegavam visitas de outros terreiros ou precisava atender pessoas ligadas a outros axés.

É ele quem descreve agora as qualidades de Oxum, também dezesseis:

- Oxum Jimun – É assentada em separado dos outros orixás, uma vez que não aceita ordens de ninguém. Pode ter filhos, mas não se incorpora neles. Feiticeira, é ligada a Iá Mi Oxorongá, chega a ser perigosa.
- Oxum Ajagira – Come com Exu.
- Oxum Pandá – Oxum guerreira, manca de uma perna.

· OXUM ·

- Oxum Karê – Guerreira.
- Oxum Apará – Guerreira, é ligada a Iansã e a Ogum. Come bode capado, em vez de cabra. Não se dá com Iemanjá Ogunté, o que representa o fenômeno do "encontro das águas".
- Oxum Abotô – Gosta de leque.
- Oxum Abalô – Gosta de crianças. Seu assentamento e suas obrigações costumam ser acompanhadas de brinquedos, e mesmo o seu omolocum é enfeitado com pequenos brinquedos, ao lado dos ovos cozidos. É ligada a Ibeji, os orixás gêmeos, filhos de Iansã, mas que por ela foram criados. Oxum Abalô dá filhos e propicia um bom parto. Quem é desta qualidade de Oxum costuma desenvolver aptidões maternais, tendo inclinação para criar também filhos dos outros. É cultuada especialmente na mesma hora em que Ibeji, às seis da manhã. Gosta de areia, recebendo presentes na areia do rio, ou mesmo da praia; embora seu próprio assentamento não contenha este elemento, diz-se que

os assentamentos de Ibeji levam areia por causa de Abalô.
- Oxum Toqüén – Calma.
- Oxum Ianlá – Ligada a Oxalá, veste branco. Suas comidas são temperadas com azeite-doce, e não com azeite de dendê.
- Ieiê Okê – Esposa de Odé Okê, é mãe de Logun Edé.
- Ieiê Ogá – Velha, resmungona e brigona.
- Oxum Merim (pronuncia-se com o e aberto) – Rainha, é jovem e vaidosa.
- Oxum Oloxá – Ligada a Nanã, mora no fundo do lago e é cultuada em separado das outras Oxuns.
- Ieiê Olokó – Ligada a Ossãe, feiticeira. Esta Oxum, contam os antigos do nagô, foi viver com Ossãe no mato e com ele aprendeu os segredos das folhas. Passou a dominar feitiços e encantamentos feitos com ervas, assim como o poder da cura. Quando Oxum responde no jogo de búzios em favor de uma pessoa que está doente, é a Ieiê Olokó que se deve recorrer.

- Ieiê Sissi – Tem enredo com Obaluaiê. Conta-se que é a mulher de Possu, para os antigos do nagô de Alagoas uma irascível qualidade de Obaluaiê, ligada também a Xangô (embora há quem considere esta divindade, como acontece em algumas casas jejes, uma qualidade de Xangô em si; alguns chamam-no "a fera de Xangô"). Esta Oxum usa como símbolo uma estrela de cinco pontas, que diz-se ter o poder de acalmar Possu.
- Ieiê Odô – Ligada a Iemanjá, de quem é filha. Mora com a mãe, podendo ser cultuada em águas salgadas. Diz-se que as pessoas de Ieiê Odô costumam ser muito apegadas à mãe, tardando às vezes a se desgarrar da família.

Cacau menciona ainda Sinhá Renga, não exatamente uma qualidade, mas um nome pelo qual os antigos do nagô de Alagoas costumam chamar Oxum em obrigações "mais pesadas", ligadas a Exu ou a feitiço. O omolocum de Sinhá Renga é enfeitado com ovos

· OXUM ·

cozidos, num determinado número, porém cortados em fatias, em vez de levar ovos inteiros.

Uma terceira lista que reúne dezesseis qualidades de Oxum é a elaborada pelo pesquisador Pierre Verger, referência hoje clássica no estudo da tradição dos orixás. Francês de nascimento, viveu anos entre a África, onde se sagrou sacerdote de Ifá, e a Bahia, onde recebeu cargos rituais em importantes casas do rito nagô-kêtu, entre as quais o Axé Opô Afonjá.

Verger relaciona qualidades de Oxum cultuadas no território iorubá (que compreende parte da Nigéria e uma pequena parte do Benin), mais exatamente ao longo do rio Oxum: "Numerosos lugares profundos (*ibù*), entre *Igèdè*, onde nasce o rio, e *Leke*, onde ele deságua na lagoa, são os locais de residência de Oxum. Aí, ela é adorada sob nomes diferentes e suas características são distintas umas das outras" (Verger, 1981: 174-175). O autor, contudo, não fornece detalhes sobre seus informantes, além de não precisar a época de seu levantamento (sabe-se que suas primeiras pesquisas na África datam de fins da década de 1940).

A grafia aqui usada para os nomes de Oxum é a iorubá, que preserva os acentos tonais do idioma. Os pontos abaixo das vogais indicam a pronúncia aberta; debaixo da letra "s", representam o som do dígrafo "ch" em português. Isso nos faz ver que a pronúncia corrente do nome Oxum nos candomblés baianos, com o "o" inicial aberto e acento tônico na última sílaba (Ó-xum), é fiel à origem iorubá.

Eis a lista publicada por Verger:
- *Yèyé Odò*, perto da nascente do rio;
- *Ọ̀ṣun Ijùmù*, rainha de todas as Oxuns e que, como a que vem a seguir, está em estreita ligação com as bruxas *Íyámi-Àjẹ́*;
- *Ọ̀ṣun Àyálá* ou *Ọ̀ṣun Ìyánlá*, a Avó, que foi a mulher de Ogum;
- *Ọ̀ṣun Osogbo*, cuja fama é grande por ajudar as mulheres a ter filhos;
- *Ọ̀ṣun Àpara*, a mais jovem de todas, de gênio guerreiro;

- *Ọ̀ṣun Abalu,* a mais velha de todas;
- *Ọ̀ṣun Ajagira,* muito guerreira;
- *Yèyé Ọga,* velha e brigona;
- *Yèyé Olóko,* que vive na floresta;
- *Yèyé Ipetú;*
- *Yèyé Mọrin* ou *Ibẹrin,* feminina e elegante; é ainda conhecida por *Yèyé Mẹrin,* forma sintetizada da expressão *Yèyém(u)ẹrin, mu(ẹ)ni* – "mãe que pega o elefante e pega as pessoas".
- *Yèyé Ìpọndá,* guerreira;
- *Yèyé Kare,* muito guerreira;
- *Yèyé Oníra,* guerreira;
- *Yèyé Oke,* muito guerreira;
- *Ọ̀ṣun Pòpòlókun,* cujo culto é realizado próximo à lagoa e que, diz-se no Brasil, não sobe à cabeça das pessoas.

Outra listagem diz respeito às Oxuns conhecidas no xangô pernambucano, rito aparentado do nagô-kêtu e do nagô de Alagoas. Em seu livro *Cantos Sagrados do Xangô do Recife,* cuja pesquisa é baseada na centenária casa conhecida como Sítio da Água Fria (ou Sítio do Pai Adão), o antropólogo José Jorge de Carvalho cita onze "nomes mais freqüentes" de Oxum, grafados à maneira iorubá (Carvalho: 91). Os nomes não vêm acompanhados de explicações ou comentários.

São eles:

- *Òşun Iponda*;
- *Òşun Ajamu*;
- *Òşun Akole*;
- *Òşun Jagura*;
- *Òşun Akare*;
- *Òşun Nola*;
- *Òşun Sandide*;
- *Òşun Bakunde*;
- *Òşun Boto*;
- *Òşun Bomin*;
- *Òşun Nifan*.

Um outro nome de Oxum aparece na mesma obra, mas fora desta enumeração: é *Òşun Èwùjì* (Carvalho: 95).

• OXUM •

Mais uma listagem – esta proveniente da tradição *lucumí*, ramo da *santería* cubana que cultua os orixás iorubás – é apresentada pelo carioca José Roberto Brandão Telles, o Zero, músico e *babalawo* iniciado em Cuba no ano de 2000. De família ligada ao Axé Opô Afonjá carioca, Zero tornou-se ogã, ainda adolescente, em uma casa da mesma raiz. Mais tarde, conheceu sacerdotes cubanos que se estabeleceram a partir da década de 1990 no Rio de Janeiro, com eles aprofundando-se no culto a Ifá. Seu *padrino* (iniciador) é o *babalawo* Wilfredo Nelson, radicado no Rio.

Com Zero vemos que, na tradição da *santería* cubana, consideram-se cinco principais qualidades de Oxum, ali conhecidas como "caminhos" (*caminos*) ou "avatares". Ao lado destas cinco, cultuam-se outras, somando uma lista que chega a mais de trinta caminhos de Oxum. É interessante observar que o nome da maioria das qualidades é precedido do termo "ibu" – como acontece em alguns casos, na África, no Brasil e igualmente em Cuba, com o epíteto "ieiê", que em iorubá significa "mãe". Ibu, segundo Verger, é o nome iorubá dado aos lugares de maior profundidade do rio, onde Oxum é especialmente cultuada.

Os cinco avatares mais importantes são:

- Ibu Kolê – Vive em águas barrentas. É identificada com o urubu. Feiticeira irascível e poderosa, alimenta-se apenas do que o urubu leva até ela. (Pode-se perceber que é a mesma Oxum apontada por Eduardo Napoleão como ligada a Obaluaiê).
- Ibu Akuaro – Identifica-se com a codorna. É curandeira, afeita ao trabalho e dedicada a obras de caridade. Dócil, embora um tanto esbanjadora, adora dançar. Esta Oxum desmancha feitiços e neutraliza a ação dos espíritos abiku (aqueles cujo destino, quando encarnados, é o de ter vida curta).
- Ibu Ololodi (ou Alolodi) – Mora nas cachoeiras e é a mulher de Orumilá, orixá da sabedoria e da adivinhação. Tem como símbolos o peixe, a

meia-lua e a estrela. Muito séria, não é afeita à dança. Surda, deve ser invocada por meio de um agogô (campânula) de cobre.

- Ibu Yumu – Rica e guerreira, é representada pela moeda de ouro. Vive no encontro das águas do rio e do mar. Muito velha e também surda, passa a maior parte do seu tempo tecendo redes de pescar, no fundo do rio, de onde sai apenas para ir guerrear junto a Ogum ou então para cavar sepulturas no cemitério. De acordo com a tradição de Ifá, Ibu Yumu nasce no odu Iká-mêji. Um de seus orikis (saudações rituais) diz que esta Oxum "faz crescer o ventre sem que a mulher esteja grávida". Trata-se, possivelmente, da mesma Oxum Jimun conhecida no Brasil.
- Ibu Añá – Vive nos pântanos e em meio a águas barrentas. Esta Oxum é uma temível feiticeira, dona dos tambores batá.

Outras qualidades de Oxum conhecidas entre os cubanos são:

- Ibu Addesa – É a dona do pavão. Seu principal oriki a define como "a coroa que traz segurança".
- Ibu Agandara – Vive sentada numa cadeira. Usa cimitarra.
- Ibu Aja Jura – Guerreira, vive na lagoa. Não usa coroa. O nome desta qualidade é semelhante ao de Ajagurá ou Ajagira, qualidade de Oxum cultuada no Brasil.
- Ibu Awayemi – Cega, fala pelo odu Oyeku-mêji. Acompanha Azojuano (nome cubano de Azoâni, qualidade de Obaluaiê) e Orumilá.
- Ibu Ayede – "A que é como rainha".
- Ibu Ceni – Vive em pequenas poças de água escura que se formam à margem dos rios.
- Ibu Eledan – É a dona das fossas nasais.
- Ibu Eleke Oñi – Guerreira, porta um bastão com a ponta em forma de forquilha. Unta seu corpo com mel.
- Ibu Fondae – Guerreira, usa espada. Diz-se que morreu juntamente com Inle.

- Ibu Iñañi – Vive na areia. É tida como "vencedora de disputas".
- Ibu Iñare – Filha de Ibu Añá, vive na praia, junto a muitas riquezas.
- Ibu Itumu – Veste-se de homem e usa roupas brancas.
- Ibu Latie Elegba – Recebe sua comida em uma abóbora. Não usa coroa.
- Ibu Oddoi – Feiticeira temível, seu assentamento fica sobre um pilão de madeira. Um oriki (saudação ritual) compara esta Oxum ao "leito seco do rio".
- Ibu Oddonki – Também assentada sobre um pilão. Seu principal oriki a compara com "o rio que está na enchente, repleto de lama".
- Ibu Odoko – Agricultora, acompanha Orixá Okô. Diz a tradição de Ifá que esta Oxum nasceu no odu Ogbe-kana.
- Ibu Oggale – Guerreira e idosa, é a dona das chaves.

OXUM

- Ibu Okuanda – Diz um oriki que esta Oxum foi "colocada morta num rio".
- Ibu Okuase Oddo – Um de seus orikis conta que esta Oxum "apareceu morta no rio". É assentada sobre um pilão.
- Ibu Tinibu – Patrona da sociedade secreta das ialodês, tem o hábito de sair à noite para passear. Vive junto de Órum, orixá da família de Ifá cultuado em Cuba e que representa os mortos.
- Ieiê Moro ou Ieiê Kari – A mais alegre e sedutora das Oxuns. Está sempre se admirando em seu espelho de ouro.
- Oxum Aremu Kondiano – Misteriosa, veste-se de branco.
- Oxum Awé – Ligada aos mortos, com os quais trabalha. Diz-se que Awé é a única Oxum que não é bela. De temperamento tristonho, tem as roupas sujas e descuidadas.
- Oxum Bumi – É a dona do camarão.
- Oxum Edé – Grande dama, é especialmente dedicada a eventos sociais e festas grandiosas. Anfitriã exemplar, é tida como a esposa perfeita.

- Oxum Funké — Sábia, ensina seus mistérios às crianças.

Em seu livro *Orisha Oshun — Yeye Omi O*, Ladekoju Lakesin, pesquisadora e ialorixá norte-americana que vive na cidade de Nashville, apresenta uma lista com quase cinqüenta qualidades de Oxum cultuadas no país iorubá. OlaOshun, como também é conhecida, observa que "sem dúvida, à medida que as pesquisas avançarem, esta lista continuará a crescer" (Lakesin: 125).

A seguir, relaciono os nomes de Oxum e suas descrições tal como apresentados por Lakesin, em minha tradução livre e comentada. Os vocábulos iorubás foram mantidos com a grafia da edição norte-americana, que não traz qualquer acentuação.

- Oxum Adakeke — Dona de grande beleza, é costureira e dona da roca de fiar. *Keke* é um tipo especial de incisão corporal (ilá) que representa status social. Oxum Adakeke é quem cria os desenhos das incisões, cujas variações indicam a exata posição social do indivíduo. Seu sacerdote é instruído para desenvolver especial habilidade no uso da faca.

- Oxum Akilapa – Aquela cujos braços são fortes. Esta é uma qualidade guerreira de Oxum. Sua força provém de preparados mágicos que a protegem de todas as agressões e a tornam indestrutível em seus combates.
- Oxum Alaade – Aquela que usa a coroa real. Não se trata de uma qualidade, a rigor, mas de um título aplicado a determinadas qualidades de Oxum que têm ligações com a realeza iorubá, relacionado também às linhagens nobres (*idile*) de cultuadores de Oxum. Há muitas dessas linhagens que ainda hoje detêm poder político em algumas cidades do território iorubá; suas características encontram-se descritas na literatura oral dos odus (signos) de Ifá. Em tempos antigos, quando um grupo migrava para uma área desabitada com a intenção de povoá-la, os *awos* (sacerdotes de Ifá) consultavam o oráculo-

· OXUM ·

lo para verificar o nome do odu sob o qual o povoado nasceria. Este tipo de adivinhação tem o nome de *odu-lo-te-ilu*. Uma dessas linhagens, por exemplo, cujo patriarca chamava-se Otutubi Oxum, fundou a cidade de Idowa. Seus descendentes tornaram-se Awujale, chefes políticos vinculados ao culto a Oxum. A qualidade de Oxum que é patrona da realeza de Idowa, portanto, recebe o título de Oxum Alaade.

- Oxum Alakaso – A dona da escada. Oxum Alakaso é a personificação do progresso, conduzindo o que está em baixo em direção ao alto. Esta Oxum costuma aparecer em sonhos, usando vestes brancas.
- Oxum Amunitosun – Aquela que traz beleza. Esta qualidade de Oxum é a que oferece maquiagem e aparato estético para que homens e mulheres realcem sua beleza. É a dona do ossum, pó avermelhado de origem vegetal largamente empregado no candomblé brasileiro, e que na África, segundo Lakesin, é usado como

• OXUM •

base de maquiagem e hidratante da pele por mulheres de todas as idades.

- Oxum Anya – É representada pela árvore ayan (*Distemonanthus benthamianus* Baillon, *Caesalpinaceae*), muito usada entre os iorubás na fabricação de tambores. Oxum Anya é patrona dos tambores que invocam as divindades, sendo às vezes associada a Xangô, divindade do trovão, rei dos orixás. Algumas tradições também relacionam esta Oxum a Iá Mi Oxorongá, entidade que representa coletivamente as grandes mães ancestrais, temíveis feiticeiras. Sua contas têm coloração castanho-vivo. Lakesin não menciona, mas, segundo certos mitos – contestados, aliás, em outras tradições africanas – a árvore ayan foi a escolhida para que Xangô se enforcasse. Ayan (e não Anya, nome da qualidade de Oxum relacionada pela pesquisadora) é também o nome dado aos espíritos que habitam os tambores sagrados dos iorubás.
- Oxum Asejire – *Ejire* são os gêmeos. Na cultura iorubá, gêmeos são crianças especiais por

uma série de razões, considerados uma dupla bênção. O nome desta qualidade de Oxum vem de um rio chamado Odo Asejire, que nasce em Oshun State (Estado de Oxum), Nigéria. Quem bebe da água deste rio ou se banha nele, segundo a tradição, recebe muitas bênçãos.

- Oxum Awowo – Guardiã dos segredos e da honra. Os antigos iorubás, conta Lakesin, davam imenso valor àqueles capazes de manter segredos, desprezando quem os violasse. Assim, quando um pacto que envolve segredos é firmado entre os iorubás, as partes envolvidas costumam exclamar "awowo" em conjunto, querendo dizer "que nossos segredos estejam protegidos". Oxum Awowo é quem toma conta dos segredos, assim como é a responsável por fiscalizar todo tipo de pacto entre as pessoas.
- Oxum Busseyin – Representa o curso d'água que sempre flui e jamais seca, metáfora para a infinita sabedoria de Olodumare, o deus supremo. Esta Oxum tem estreita relação com o *ori*, a dimensão divinizada da cabeça humana.

- Oxum Ebu Iyamoopo – Patrona de todas as ocupações femininas entre os iorubás, entre as quais o parto e a fabricação de panelas de barro. Ebu Iyamoopo é imaginada como o espaço que se pode preencher dentro de uma panela. Durante suas celebrações, suas devotas passam a madrugada trabalhando o barro. Seu símbolo é uma imagem alada de bronze com três braços estendidos e duas figuras de crianças a ela ligadas, uma junto a seus seios, a outra junto às suas costas, esta de cabeça para baixo.
- Oxum Ebulu (ou Eburu) – Entre seus atributos está o de se ocupar com a cerâmica. Esta é uma Oxum que vive camuflada, mas capaz de aparecer subitamente, quando menos se espera. Vive na região de Egbadô.
- Oxum Ega – Representada por um pássaro que tem o costume de ficar empoleirado observando pessoas reunidas. Este pássaro é conhecido por sua beleza e por seu vôo majestoso. Oxum Ega é associada ao arquétipo das pessoas elegantes, de modos distintos e dotadas de auto-estima.

- Oxum Elewure – É a dona da cabra, a única oferenda que aceita. Outras Oxuns também aceitam cabra, em geral, mas se contentam igualmente com outras qualidades de animais fêmeas.
- Oxum Eleyele – Dona do pássaro branco que simboliza a pureza, a destreza e a proteção de Oxum. Esta qualidade do orixá da água doce indica-nos a conveniência ou não das decisões a serem tomadas. O pássaro Eyele, com quem todo devoto de Oxum mantém uma especial ligação, também é identificado com Iá Mi Ajé Oxorongá, entidade que representa as grandes mães ancestrais do panteão iorubá.
- Oxum Emure Ile – Aquela que consola.
- Oxum Ereja – Dona de muitos peixes, é venerada no mercado de Ibajo.
- Oxum Erinle – Aquela que dá alegria.
- Oxum Ewuji ou Awayo – *Ewuji*, segundo Lakesin, significa hospitalidade; *awayo*, alegria. É uma Oxum muito popular e particularmente bela,

que tem como características a prudência e a discrição. Seu arquétipo é o da perfeita esposa, dona-de-casa e anfitriã. Os filhos de Oxum Ewuji são graciosos, hospitaleiros e devotados aos amigos, gostando de estar sempre rodeados de gente. Também são tranqüilos e dotados de grande paciência. Têm olhos sonhadores e, por vezes, maneiras dissimuladas. Ewuji é representada pelos terrenos pantanosos e pelo ciclo da chuva.

- Oxum Gbodofon – É a Oxum que carrega o pilão de inhame.
- Oxum Ibu Oya – Dona da água em abundância.
- Oxum Ijanlepon – Oxum madura, que preza honrarias.
- Oxum Ijumu – Guerreira, habita os pequenos e velozes cursos d'água. Oxum Ijumu muda seu comportamento a todo instante, tendo fama de volúvel. Carrega uma cabaça branca em sua cabeça e usa grandes brincos em formato cilíndrico, privilégio das grandes mães ancestrais. Ela

· OXUM ·

é considerada a ancestral suprema. Seu lar fica na cidade de Osogna, na província nigeriana de Kwara. O branco é a única cor que usa, com exceção de pequenos pontos azuis salpicados em seu rosto, em seus mamilos e também no pano que amarra à cabeça. No alto de sua cabeça enroscam-se duas serpentes, que carregam um sino duplo de ferro. Ijumu possui três marcas verticais entre os olhos e três marcas horizontais em cada face. Recebe como oferenda certa fruta africana adocicada, de aspecto semelhante ao da cenoura. Esta é uma das poucas qualidades citadas por Lakesin que aparece em listagens de outras fontes, sendo cultuada também no Brasil.

- Oxum Iponda – Aquela que afia a espada. Outra qualidade conhecida no candomblé brasileiro.
- Oxum Ishena – Esta Oxum tem o nome de uma cidade nigeriana na qual funciona um importante mercado. Ela favorece as atividades comerciais e os negócios em geral.

- Oxum Itakun – A que vence desafios e obstáculos.
- Oxum Iweeda – Sempre muito asseada, diz-se que foi esta Oxum que inventou o banho.
- Oxum Kemi – Generosa, mas exigente, reina na cidade de Ibadan. Come caracóis, ao contrário das outras Oxuns, que o desprezam.
- Oxum Lakokan – Sábia e notável mestra.
- Oxum Lasinmin – Bela e graciosa.
- Oxum Obedu – Envolta em mistério, poucos sabem sobre esta Oxum.
- Oxum Okoko – Aquela que caminha com uma cabaça sobre a cabeça.
- Oxum Okonla – Única sobrevivente entre um milhão de seres, segundo um mito, é representada por um pequeno curso d'água.
- Oxum Oladekoju – Guerreira e libertadora que combate com um facão. Esta Oxum possui olhar penetrante e está sempre à procura dos que vivem em falsidade. Quando encontra uma pessoa falsa, povoa seu sono com pesadelos. Seu oriki (saudação ritual em versos) diz: "Nós

não cultuamos Oxum para nos entregarmos à desonestidade e à mentira." Se algum devoto de Oxum está em falta com a verdade, é Oladekoju que se aproxima, entrando na casa da pessoa e observando seu modo de agir.

- Oxum Ololo-Ololo Igun – Representada pelo abutre, que levanta vôo do chão lentamente, mas que ganha altitudes extremas. Também relacionada com aves noturnas, em especial com a coruja, Ololo-Ololo Igun costuma pousar perto de povoados para observar o comportamento de seus habitantes.
- Oxum Olomowewe – Aquela que tem muitos filhos e favorece a fertilidade.
- Oxum Olomoyoyo – Aquela que traz bênçãos e alegria.
- Oxum Oloyeyentuye – Sábia, é líder entre as grandes mães.
- Oxum Oluweri – Considerada a "grande mãe" da cidade de Ile Imupa. Seu *oriki* (saudação) diz: "Ó, mãe de Imupa, defensora de todo o uni-

verso feminino! Que notável mãe eu tenho! Ó, mãe, esteio, refúgio! Ó, mãe, diante de quem todos se prostram! Tenho imenso orgulho de minha mãe. Ó, mãe, que se apresenta majestosa e distribui água pura à multidão!"

- Oxum Onikanga – Dona do poço d'água.
- Oxum Onikoto – Dona das covas.
- Oxum Onitii – Dotada de grande poder.
- Oxum Ooro – Cultuada na cidade de Oió, esta Oxum está "sempre de pé". Diz um mito que Ooro, por ter muitos e muitos filhos, não tinha lugar para se sentar em sua casa. A esse respeito, Lakesin cita uma passagem da literatura oral de Ifá, recolhida por Wande Abimbola e aqui traduzida:

Para se agir com rapidez, é preciso enfrentar a inércia imediata e vigorosamente.

Quando a fruta afon cai da árvore, ela faz muito barulho.

Ifá foi consultado em favor de Awoyemi,
Uma jovem da cidade de Oro.

· OXUM ·

O oráculo indicou-lhe que fizesse oferendas
Para que pudesse ter filhos.
Ela ouviu com atenção
E fez as oferendas conforme as instruções.
Ela seguiu as determinações para que fizesse um ebó para Exu
E ofereceu o sacrifício apropriado.
Ela obteve resposta imediata das divindades,
Que aceitaram o seu sacrifício.
Ela começou a dançar
E a se regozijar.
Ela agradecia aos sacerdotes de Ifá que a tinham atendido,
Enquanto os sacerdotes agradeciam a Ifá.
Ela disse que sua casa é abarrotada de gente.
A casa de Oxum é certamente abarrotada de gente.
E por isso Oxum está sempre de pé.

- Oxum Ororu – Provedora de fartura.
- Oxum Oxogbo – Nascida sob o odu Idin-Ilekê, seu essé (relato mítico contido na literatura

oral de Ifá) narra a história de uma bela jovem da aldeia de Igboro que fez uma peregrinação à cidade de Oxogbo para consultar Ifá, lamentando-se por não poder ter filhos. Uma vez consultado, Idin-Ilekê indicava que ela não conseguia ter filhos porque comia durra, uma variedade de sorgo, desrespeitando uma de suas proibições rituais. Durra (*S. vulgare* var. *durra*) é um cereal cuja planta possui talos compridos, usados na fabricação de vassouras. Em seu lugar, a jovem deveria comer milheto (*Panicum milliaceum*), um outro tipo de gramínea. Esta jovem era Oxum e, assim que cumpriu as determinações de seu odu, conseguiu conceber. Esta qualidade de orixá viveu em Oxogbô, principal lugar de culto a Oxum na África.

- Oxum Oyide – Esta Oxum está sempre cercada de insígnias e objetos de bronze, e fica muito irritada se alguém interrompe sua dança, em que rodopia bastante. Sua cidade de origem é Oye, na província de Ondo. Usa contas amarelas, de tom brilhante.

- **Oxum Usi** – É uma Oxum que não come peixe, e sim caracóis. Não usa o *merindilogun* (conjunto de dezesseis búzios) para a adivinhação, porque a pratica em estado de meditação.
- **Oxum Yewa** – Dona dos pântanos, Yewa é a testemunha de tudo que acontece no mundo terreno. É uma Oxum sábia, que não teme a morte. Sua cidade de origem é Ijerigi. Os filhos de Yewa não costumam casar ou procriar, correspondendo ao arquétipo dos solteirões de meia-idade, robustos e simpáticos. São serenos, de maneiras educadas e gosto sofisticado. Dotados de autocontrole, tendem a ser cerebrais. Aqui Lakesin parece estar falando de Euá, orixá feminino cultuado no Brasil, associado à vidência, aos olhos e à família mítica de Obaluaiê. Entretanto, segundo diversas outras fontes, mesmo na África, Yewa não aparece como qualidade de Oxum. Trata-se de um orixá à parte, representação divinizada do rio nigeriano com o mesmo nome.

6 | FESTAS E OFERENDAS

O calendário de festividades e cerimônias públicas nunca é o mesmo para dois diferentes terreiros. Há datas fixas, às vezes orientadas pelas efemérides católicas (como o dia de São Pedro, de Santa Bárbara, sábado de Aleluia, Corpus Christi), e datas móveis ou ocasionais, caso das cerimônias públicas do ciclo de iniciação de sacerdotes, como as "saídas de orixá" ou as "confirmações de ogã".

As festas de Oxum podem acontecer, por exemplo, numa data relacionada à fundação da casa, caso esta seja consagrada ao orixá, ou no aniversário de feitura da mãe ou pai-de-santo, em caso idêntico. Mas há épocas do ano em que Oxum é especialmente festejada, como em 2 de fevereiro, dia de Nossa Senhora das Candeias, também sincretizada com Iemanjá, ou então em 8 de dezembro, dia de Nossa Senhora da Conceição. Esta última é a data mais comumente associada a Oxum em vários ritos da tradição afro-brasileira.

No início de dezembro, quase sempre num sábado, muitos terreiros fazem a "festa das iabás", os orixás femininos, aproveitando a proximidade entre o dia de Nossa Senhora da Conceição (dia 8) e o de Santa Bárbara (dia 4), esta sincretizada com Iansã. Oxum também é lembrada em 13 de dezembro, dia de Santa Luzia, padroeira dos olhos e da visão, associada por alguns a Oxum Apará, que tem ligações com o jogo de búzios – embora outros associem Santa Luzia a Euá, orixá também vinculado à adivinhação e ao sentido da visão.

No dia da festa de Oxum, especialmente, ou então num dia qualquer de "lua boa" (que não seja minguante, neste caso), é oferecido o "balaio de Oxum", também conhecido como "presente das águas". É um ritual coletivo, em que todos os filhos do terreiro vão à beira do rio (ou então à foz do rio, no chamado "encontro das águas") para ali depositar uma grande cesta enfeitada com panos e fitas que contém oferendas a Oxum. No balaio, semelhante ao de Iemanjá que é entregue no mar, vão presentes do agrado da santa, como flores, perfumes (os preferidos são os de alfazema), espelhos, pentes, sabonetes, bijuterias, comidas (como o omolocum ou o adum, mas nunca o petê), doces, frutas e bebidas, em meio a pedidos dos filhos-de-santo, escritos em pequenos papéis bem dobrados.

Uma das cantigas entoadas no momento da entrega do balaio, do repertório nagô-kêtu, é:

Ebó mi kaiodô
Araorê omi kaiodô

Pode-se traduzir a cantiga, segundo um mais-velho, como "meu presente vai para as águas, para que tenhamos felicidade".

· OXUM ·

Em caso de necessidade, o balaio de Oxum também pode ser preparado e entregue em intenção de uma só pessoa, numa ocasião à parte.

Ainda no mês de dezembro, em algumas casas nagôs, faz-se a "festa das frutas", dedicada a Oxum e às demais iabás (orixás femininos). É uma cerimônia interna, celebrada em geral durante o dia, antes de se tocar o candomblé à noite. As frutas são oferecidas às iabás e depois repartidas entre todos os presentes.

Outro ritual realizado nos terreiros nagôs é o do "peté de Oxum", também chamado de ipeté ou apeté – nome de uma comida à base de inhame oferecida ao orixá em grande terrina de barro ou de louça, ou mesmo num alguidar. Cheia de preceitos, a cerimônia é cercada de cuidados: dizem os mais-velhos que pode acontecer briga e confusão entre as pessoas da casa quando não se sabe conduzir bem este ritual. Para alguns, só se faz o peté quando a casa ou seu principal sacerdote é de Oxum, salvo em circunstâncias especiais. É obrigação envolvida em mistérios. Em certas casas, é a própria Oxum, incorporada, ou suas filhas (nunca filhos homens) que distribuem a comida aos presentes em folhas de mamona.

Há também cerimônias públicas nos terreiros em que um peixe é oferecido a Oxum, normalmente em nome de algum filho seu com alto cargo na hierarquia da casa. É considerada uma "obrigação de cabeça", ritual destinado a fortificar espiritualmente o sacerdote.

As oferendas a Oxum são entregues nos seus locais próprios de culto, ou seja, nas águas de um rio ou cachoeira ou diante de seu assentamento. Há qualidades de Oxum que podem ainda receber presentes no pé de uma árvore frondosa, no alto de uma montanha, no "encontro das águas", na areia da praia e mesmo na água salgada. Em casos mais raros, Oxum pode comer à noite – a maioria dos orixás prefere a luz do dia, e alguns só aceitam oferendas pela manhã, bem cedo.

Os ebós (trabalhos mágicos) de Oxum são variados, e neles tomam parte elementos os mais diversos. Um dos mais comuns é o ovo de galinha, símbolo de Oxum. O ovo representa o nascimento e seus mistérios, bem como a ligação de Oxum com as feiticeiras Iá Mi – e, por extensão, com o feitiço.

Em ebós mais genéricos com a finalidade de se descarregarem energias negativas (os chamados "sacudimentos"), há o emprego de materiais e elementos que representam os orixás, em combinações diversas. Assim, dependendo do caso, podem-se usar punhados de pipocas (representam Obaluaiê), milho branco cozido (comida de Oxalá), quiabos inteiros ou transformados em papa (são de Xangô), feijão fradinho torrado (de Ogum). Os ovos, crus, passados no corpo e quebrados aos pés da pessoa, estão associados a Oxum e servem para eliminar feitiços e forças negativas. Assim como os outros elementos, os ovos são geralmente usados em um número determinado, que varia conforme a prescrição apontada pelo jogo de búzios.

Os animais que Oxum recebe em sacrifício são, em geral, a cabra, a galinha ou franga (de preferência amarela) e a galinha-d'angola (chamada de etu, nos terreiros nagôs, e de conquém, nas casas de rito

· OXUM ·

angola-congo). Em muitas casas recebe a pomba. Já a pomba-rola, ave de Oxum, não é sacrificada, assim como a andorinha, pássaro ligado ao orixá na tradição da encantaria. Oxum aceita somente animais fêmeas, à exceção de Apará, que não come cabra, e sim odan, o bode capado. Outras qualidades de Oxum podem receber também o cágado e o tatu. Em algumas casas, dá-se a fêmea do marreco – mas nunca a pata, uma de suas quizilas. Há quem ofereça a Oxum o porquinho-da-índia fêmea (de cor marrom ou avermelhada) e também a codorna.

A principal "comida seca" (nome dado às iguarias dos orixás, em distinção aos sacrifícios sangrentos, também compreendidos como "comida") de Oxum, nos candomblés nagôs, é o omolocum, feito com feijão fradinho bem cozido, mexido até ficar com consistência pastosa, ao qual se acrescenta um refogado de azeite de dendê (ou oliva), cebola ralada, camarão seco moído e sal – conjunto de temperos que é a base de muitos pratos da culinária afro-brasileira. Depois de pronto, é colocado numa terrina e enfeitado com ovos cozidos inteiros, geralmente em número de cinco, oito ou dezesseis. Diz-se que o omolocum "é de todas as Oxuns". No Bate-Folha, tradicional candomblé baiano de nação muxicongo, o prato tem o nome de macundê, preparado da mesma maneira, porém sem ovos.

Outro prato do agrado da mãe d'água é o adum (ou uado), espécie de pasta feita à base de milho vermelho cru, torrado e pulverizado (passa-se num moedor, depois por peneira fina), misturado com mel, azeite de dendê e uma pitada de sal. Costuma-se oferecer esta comida a Oxum com intenção de prosperidade.

Também estão no cardápio de Oxum o mian, inhame cozido e esfarelado, refogado com azeite de dendê, camarão seco moído, cebola ralada e sal, e ainda o chamado "caruru de folha", um refogado de verdura com a mesma base de ingredientes, feito normalmente com língua-de-vaca (*Talinum triangulare* ou *paniculatum* Jacq., *Portulacaceae*) ou bredo (*Amaranthus viridis* L., *Amaranthaceae*).

Oxum também come peixe assado – cioba ou vermelho, em geral. Faz-se um preceito com o peixe nas

· OXUM ·

obrigações de cabeça dos seus filhos. No rito nagô de Alagoas, recebe um suspiro de clara de ovo batida com bastante açúcar, sem ir ao fogo. Come também o acaçá de milho branco (de Oxalá, extensivo a todos os orixás) ou amarelo, aceitando às vezes o acarajé de Iansã e as pipocas ou "flores" de Obaluaiê, também chamadas de guguru ou doburu, estouradas sem gordura (usa-se um pouco de areia lavada no fundo da panela) e depois regadas com mel.

Em algumas casas nagôs serve-se o latipá, comida à base de camarões secos, refogados inteiros em azeite de dendê, cebola ralada e sal, e depois envolvidos em folhas de mostarda um a um, formando trouxinhas que são cozidas no vapor. Embora possa ser oferecido a todas as Oxuns, o latipá é especialmente indicado às qualidades que têm enredo com Obaluaiê.

Comida de bastante fundamento é o peté (ou apeté), purê de inhame temperado com azeite de dendê, camarão seco moído, cebola ralada e sal, preparado apenas em ocasiões especiais, como já vimos. Oxum pega também o aberém, bolinho de massa de

· OXUM ·

feijão fradinho enrolado na folha de bananeira (ou palha de milho) e cozido no vapor, preparado com uma série de preceitos rituais.

No batuque do Rio Grande do Sul, em casas da nação ijexá, oferece-se para Oxum a canjica de milho amarelo, cozida e arrumada em uma tigela de louça. Enfeita-se a canjica com cinco rodelas de tomate e rega-se com mel. Esta comida, ensina um antigo, "é feita para se pedir algo a Oxum".

Nas casas desta nação é muito usado o ekó, um tipo de oferenda líquida, colocada em uma tigela ou alguidar. Um dos ekós de Oxum é preparado da seguinte maneira: põe-se, numa tigela branca, um punhado de fubá amarelo misturado em água. Adicionam-se cinco moedas correntes de metal amarelo, uma gema de ovo (crua e inteiriça) e mel. Pode-se colocar na superfície do líquido uma rosa amarela ou um girassol, sem o cabo. Este ekó é posto dentro do quarto de Oxum, como defesa contra a negatividade e feitiços, e é despachado no próprio terreno da casa.

· OXUM ·

As frutas preferidas de Oxum, em muitas casas, são as chamadas "frutas finas", como a uva, a pêra e a maçã, oferecidas à maioria dos orixás. Além destas, as divindades costumam tanto receber quanto desprezar determinadas frutas, caso de Iemanjá, que gosta de melancia, Oxalá, que aprecia a graviola, e Obaluaiê, que não tolera o abacaxi – exemplos que não valem para todos os terreiros, é sempre bom lembrar. Alguns mais-velhos ensinam que Oxum recebe com muito gosto a laranja-lima, o melão, a maçã vermelha, a uva moscatel e, especialmente em terreiros nordestinos, o cajá-manga. A fruta-do-conde (ou pinha, como também é chamada em muitas regiões do Brasil) é oferecida por alguns junto ao assentamento de Oxum, aberta ao meio e regada com um pouco de mel.

No candomblé Oxum bebe o aluá, bebida feita de milho fermentado comum a todos os orixás. Na umbanda, aceita o vinho moscatel. Pode também receber o champanhe, presente em seu balaio de oferendas.

· OXUM ·

E o que Oxum não come? Em geral, são rejeitados pela santa – e evitados por seus filhos — a tainha, a banana-d'água, o ibi (caramujo oferecido a Oxalá), o pato e, às vezes, o pombo. De qualquer maneira, as restrições alimentares dos filhos de Oxum (ou de qualquer filho-de-santo) variam de pessoa para pessoa, devido à qualidade do orixá que cada um carrega e, sobretudo, ao seu odu (signo de Ifá). Desse modo, podem eventualmente ser somados à lista itens como o amendoim e a tangerina. João Antônio, sacerdote ligado a uma casa de rito congo, lembra ainda do mamão, dispensado pelos filhos de Dandalunda ao lado da tangerina e da banana-d'água.

Os peixes de pele, como o cação, são proibidos nas casas nagôs a todos os iniciados, segundo alguns em respeito a Obaluaiê. Interessante notar que esta norma, tão comum entre o povo-de-santo, também é observada pela tradição judaica na culinária kosher, em que são considerados próprios para consumo apenas os peixes de escamas.

7 | Rezas, invocações e orikis

As rezas do candomblé são cercadas de mistério. Quase sempre cantadas, são entoadas nos quartos-de-santo, em cerimônias privadas, e não no barracão. "Isso aí é coisa de dentro", dizem os mais-velhos, "é coisa do axé." Momento de respeito e concentração, a reza é puxada pela mãe ou pai-de-santo, ou então por algum ogã ou filho mais velho, ao som monótono do adjá (campainha de metal, também chamada de ajarim). Enquanto isso, os filhos mais novos acompanham a reza ajoelhados na esteira (*eni*, nas casas nagôs, *decisa*, para o rito angola-congo), respondendo a alguns de seus trechos.

A seguinte reza de Oxum é corrente em algumas casas nagôs:

É maroin ô
É maroin ô

Eungi tá no mamiô
Oxum tá no mamiô
Ê mamãe iabá
Iá ô merindilogun iabá omirô
É bériodô
No amafá jexá

A segunda estrofe vai se repetindo sempre, substituindo-se seus dois primeiros versos ("*Eungi tá no mamiô/Oxum tá no mamiô*") por dois outros, louvando diversas qualidades de Oxum ("*Iá Oxum Ipondá/Eungi tá no mamiô*", "*Iá Oxum Merim/Eungi tá no mamiô*" e assim por diante). Como arremate, entoa-se três vezes:

· OXUM ·

Boboiô boboiô omirô (bis)
Boboiô boboiô iá omi ebômi dé

E dá-se, por fim, o paó, saudação de palmas compassadas.

Ao lado das rezas, figuram as invocações, pronunciadas em geral no momento da entrega de alguma oferenda, ou em alguma cerimônia no quarto-de-santo.

Aqui está uma invocação recolhida por José Jorge de Carvalho no Sítio do Pai Adão, templo centenário do xangô pernambucano:

Ekare efidęręmọ etutunikę oriomọriodo Oşi şini oba şini.

O autor indica a tradução de dois termos: "*efidęręmọ* – epíteto, significa 'aquela que mima a criança com o brinquedo de bronze'; *etutunikę* – a expiação traz respeito, estima" (Carvalho: 91).

As invocações confundem-se com os orikis, textos poéticos da tradição iorubá que têm a função de louvar os orixás, destacando seus atributos e qualidades. Às vezes simples frases, às vezes textos mais extensos, os orikis são recitados nos rituais privados do candomblé nagô, também com o sentido de invocação, são usados para saudar o orixá incorporado, nos quartos-de-santo, ou ainda citados à guisa de provérbio ou comentário, no dia-a-dia dos terreiros. Em suas formas mais sintéticas, os orikis servem como epítetos dos orixás, caso de "Iá Messan Orum" ("mãe dos nove céus"), título relacionado a Oiá, orixá dos raios e dos ventos, mulher de Xangô. "Iá Messan" acabou dando origem ao nome Iansã, com que Oiá ficou mais conhecida no Brasil.

Pierre Verger pesquisou uma série de orikis de Oxum no país iorubá (Verger, 1981: 174). Ele lembra que "o amor de Oxum pelo cobre, o metal mais precioso do país iorubá nos tempos antigos, é mencionado nas saudações que lhe são dirigidas". Eis alguns destes textos:

"Mulher elegante que tem jóias de cobre maciço."

· OXUM ·

"É uma cliente dos mercadores de cobre."

"Oxum limpa suas jóias de cobre antes de limpar seus filhos."

Nos orikis de Oxum, destacam-se seus aspectos de divindade protetora, poderosa, rainha da beleza, mãe da água doce. Outros textos recolhidos por Verger (1999: 411-417) em diversas cidades da Nigéria, são apresentados no original iorubá, com tradução livre do autor.

Ẹfọn a ke ki dun ẹnia.
"Oxum é suave."

Oṣa ti r(i) omi tutu ti fi nwo arun.
"Orixá que cura a doença com água fria."

Iyalode a wo ọmọ ni o mọ̀ ba mi ṣẹ.
"Ialodê que cura as crianças, ajude-me a ter um filho."

A sọ ori buruku d(i) ori re.

"Ela diz à cabeça má que se torne boa."

Obinrin pala f(i) işan ni (o)jo ọmọ rẹ nja.
"Mulher descontente no dia em que seu filho briga."

A tẹle ọlọmọ má ya.
"Ela segue aquele que tem filhos sem o deixar."

O de bẹ k(i) oran ro.
"Ela chega e a perturbação se acalma."

O ró wanwan jó wá.
"Ela agita suas pulseiras para ir dançar."

O wọ ririn legan.
"Ela caminha com postura altiva."

Ala kọ (o)di ọwọ.
"Ela recusa a falta de respeito."

Oni ki olode.
"Quando ela sai, todo mundo a saúda."

A wura olu.
"Ela é a dona do ouro."

Omi ró wanran wanran wanran omi ró.
"A água tilinta como as pulseiras de Oxum."

Ọşun li a to sẹ ni pẹlẹ.
"Oxum age com calma."

A ba wọn lumọ (i)ka.
"Ela desvenda a origem da maldades."

A ki nla ọrọ gbomi
"Ela, cuja grande palavra saúda a água."

São mais extensos os dois orikis de Oxum apresentados a seguir, transcritos pela norte-americana Ladekoju Lakesin com base em fontes africanas. O primeiro deles (Lakesin: 25), em tradução do inglês:

· OXUM ·

"Mãe graciosa, Oxum, graciosa senhora da luz
Mãe, de todas as mães a mais graciosa
A única com seios fartos
A única que distribui jóias para as crianças
Onikii, que conhece segredos, mas não os revela
Aquela que possui um trono cercado de calma e conforto
Aquela que esconde riquezas na areia
Grande mãe, rainha do rio
Aquela que dá jóias de bronze para as crianças
Água que corre sem cessar
Aquela que oferece água sem nada cobrar
Aquela que cura as crianças
Grande mãe, que concede vida às crianças
Conceda-me crianças
Mãe que não tem nem osso nem sangue
Ajila
Ajude-me."

· OXUM ·

Outro oriki anotado pela pesquisadora (Lakesin: 44):

"Oxum, que é cheia de compreensão

A única que cava a areia e lá enterra suas riquezas

A mulher que inunda a estrada e faz os homens fugirem

Oxum, mãe do rio

A única que faz coisas sem ser questionada

Aquela que cora enquanto comete atrocidades

Aquela que traz o ar fresco

Aquela que dá crianças às pessoas e espera agradecimentos

Aquela que se alegra em meio às folhas novas da palmeira

Aquela que nunca se cansa de usar ornamentos de bronze

Aquela que conhece os segredos dos sábios, porém não os revela

Abeke, Agbo, Tinuubu

Aquela que tem folha de palmeira fresca e nunca se cansa de usar bronze

A única que enterra dinheiro na areia

A enorme e poderosa mulher que não pode ser atingida

A única que carrega um cesto nas profundezas do rio!"

8 | CANTIGAS

É vastíssimo o universo da música na tradição religiosa afro-brasileira. Aparecem aí milhares de cantigas (com letras em português, línguas africanas ou mesmo ameríndias, quando não uma mistura de idiomas), dezenas de ritmos sagrados (os "toques") e vários tipos de instrumentos de percussão, veículos que assumem as mais diversas funções litúrgicas em casas de origem sudanesa (jeje-nagô), banta (angola-congo) ou mais profundamente amestiçadas.

· OXUM ·

Com a música, o povo-de-santo invoca e festeja suas divindades, louva as forças da natureza, reza por seus mortos, inicia seus sacerdotes, manipula ervas sagradas, ajuda a curar doentes do corpo e do espírito. E muito mais. A música, nessa perspectiva religiosa, é elemento-chave na intermediação com o sagrado. A palavra, revestida de som musical, ganha o que em alguns ramos da tradição se diz por *axé*, poder espiritual, princípio de ação e transformação. Exemplo dessa importância são os atabaques, sacralizados em muitas casas de culto por meio de práticas análogas aos rituais de iniciação.

Oxum está mais que presente nesse universo. Não é à toa que uma de suas muitas correspondentes entre as santas católicas e nossas-senhoras é Santa Cecília, padroeira dos músicos. Dizem os antigos que o orixá do ouro e da beleza tem especial apreço pela arte musical.

Aqui estão registradas algumas cantigas dedicadas a Oxum, próprias de diversos ritos, acompanhadas de algum comentário ou contextualização. Como todas as transcrições são resultado da observação direta ou de entrevistas com sacerdotes, optei pela grafia abrasileirada dos textos em idiomas africanos, descontando algumas soluções ortográficas mistas consagradas pelo uso. A tradução literal destes textos é tarefa das mais espinhosas e arriscadas. Não me proponho a fazê-la, preferindo dar atenção ao sentido ritual de cada cantiga tal qual é conhecida pela gente-de-santo no Brasil.

É preciso sublinhar, ainda, que cada cantiga admitirá sempre muitas versões e corruptelas, mesmo entre casas de igual rito. Portanto, deve-se considerar o repertório aqui apresentado quase como um "instantâneo" das cantigas.

Começamos nosso percurso com três "cantigas de misericórdia" dedicadas a Oxum, em que se roga o perdão do orixá ou sua intercessão numa situação extrema. A primeira delas é cantada na umbanda:

Tem dó, mamãe, tem dó
Aieiêu, mamãe, tem dó

Do nagô de Alagoas:

Daê, daê
Daê, dá minindó

Do nagô-kêtu:
Marilê Oxum
Paralajá

No nagô de Alagoas, a própria Oxum canta esta cantiga, dizendo que quer comer:
Kererê olodô
Aieiê ê ô
Kererê olodô
Abauá Sissi comá sidé ô
Kererê olodô

A seguinte cantiga, corrente nos terreiros nagô--kêtu, "chama Oxum do fundo do rio" ("ominibu" tem o significado de "águas profundas"). É associada à qualidade de Oxum Ominibu – embora alguns garantam que esta não seja exatamente uma qualidade, não passando de um epíteto do orixá da água doce. Seus versos são:

Iá ominibu
Iá omirô dorixá olelê

A próxima cantiga, entoada ao ritmo do ijexá, serve para entregar o balaio com as oferendas a Oxum. É tirada no barracão, louvando-se o balaio, ou já na beira do rio:

Oxum ladê
Oxum ladê ô
Iá camurelê ô
Ora ieiê ô mi axá ueré

Este ijexá é cantado na cerimônia do peté de Oxum, no momento em que a grande terrina (ou alguidar) é levada à cabeça por uma filha-de-santo, que então dança ao som da cantiga:

Ipeté 'rumã
Babá oderó

OXUM

Na umbanda, há cantigas que se referem a Oxum com o nome de Cinda:

> Olha Cinda mamãe, ô Cindê
> Ela é Cinda da cobra coral

Em cantigas de caboclo na umbanda, o mesmo termo está presente:

> Seu Mata Virgem se perdeu naquela mata
> Mãe Oxum apanhou e acabou de criar
> Hoje ele é um grande caçador
> Ele é filho da Cinda e da cobra coral

Outra cantiga de caboclo, de despedida, é bastante popular nas casas de umbanda, e faz menção a Oxum por meio de sua saudação, "aieiê-ô":

> Caboclo vai embora
> Pra cidade da Jurema
> Bom Jesus 'tá lhe chamando
> Pra cidade da Jurema
> Ele vai ser coroado
> Na cidade da Jurema
> Com a coroa de aieiê-ô

Não conheço menção a Cinda em cantigas de terreiros congo-angola, apesar de o termo ser de origem banta – Nei Lopes, em seu Dicionário Banto do Brasil, deriva-o do quicongo *Nsinda*, "inquice [divindade] das mulheres" (Lopes: 88). No entanto, o termo está presente em algumas cantigas do nagô de Alagoas:

Mamãe Cinda olha *milelé*
Mamãe Cinda olha *milelé*

A seguinte cantiga é usada, também no nagô de Alagoas, para pedir a Oxum que olhe pela casa-de-santo e por seus filhos. É entoada sempre que o orixá está em terra, dizem os mais-velhos, e "serve para Oxum dançar".

Mamãe Cinda *uera*
Mamãe Cinda *uera vangolé*

Há, nas casas nagô-kêtu, a chamada roda de Oxum, série de cantigas (em torno de uma dezena, em geral) entoadas no ritmo batá e dançadas pelas filhas mais velhas. A roda de Oxum é cantada em festas do orixá, como a obrigação do peté, ou em festas das iabás (orixás femininos), em casas que pertencem a Oxum ou ainda em outras ocasiões especiais, sempre em meio ao toque do candomblé. Nessa roda chama-se a presença de Oxum e de outros orixás a ela ligados. Forma-se a roda, e as filhas com obrigação de sete anos, em especial as de Oxum, dela tomam parte, dançando voltadas para o seu centro, em passos solenes e com os braços flexionados. A primeira cantiga da roda é:

Oribé bê ô
Omirô uara uara uara omirô
Anissé xé mólórun
Omirô

Nesta outra cantiga, vão sendo louvadas as qualidades de Oxum, trocando-se Assessu (na verdade uma qualidade de Iemanjá) e Ipondá por outras, como Abotô, Apará ou Merim:

Miniuê Assessu miniuê
Miniuê Ipondá miniuê

· OXUM ·

Xêque xêque mabá jó ê
Ajorô miniuê lô

Mais uma cantiga da roda de Oxum:

Imareô i massum
'Xum mareuá
Iarassulé, sumareuá, 'reuá
Imareô i massum
'Xum mareuá

No ritual da sassanha das casas nagôs, também chamado de "cantar folha", indispensável nas principais obrigações da casa, como no sacrifício de um animal de quatro patas ou na feitura de iaô, há cantigas relacionadas às folhas de Oxum. Como a seguinte, dedicada ao eurepepê (ou oripepê – *Spilanthes acmella* L., *Asteraceae*), para muitos "a primeira folha de Oxum":

Aurepepê
Pereô pelepê

· OXUM ·

Há, ainda, o arremate:

Aurepepê
Comajé bouô
A iá fé
A iá jé kan

A cantiga do eurepepê é puxada, sempre que possível, por um filho de Oxum com "obrigação de sete anos" (ritual que confere grau elevado ao sacerdote), ou um ogã do orixá. No ritual da sassanhe, cada um dos mais-velhos da casa entoa uma cantiga, começando pela mãe ou pai-de-santo e terminando pelo filho mais novo que tenha a obrigação de sete anos.

Uma cantiga do nagô de Alagoas, em toque ijexá, é dedicada a Ieiê Odô, Oxum que mora com sua mãe Iemanjá:

Aieieu odô ciaba
Aieieu
Aieiê odô

Um ijexá cantado no nagô por uma Oxum antiga, quando se apresentava em terra, é:

Orô mi maia omi

Orô mi maia dejá

Orô mi má omi abadê

Ô eu é Oxum

Dois ijexás do nagô de Alagoas dedicados a Oxum Pandá (ou Ieiê Ipondá), qualidade guerreira de Oxum, são:

Oki odô

Oxum Pandá 'remundo

Oki odô

Ela é Pandá de mundo

E ainda:

Oxum Pandá nirê

A xirê loiá

Ora bento é o chá

Oxum Pandá

· OXUM ·

Ora bento é o chá
Oxum Sussi
A xirê loiá
A xirê loiá
Ora bento é o chá
Oxum Pandá
Ora bento é o chá
Oxum Sussi

Esta última cantiga, que trata ainda de outra qualidade de Oxum, Sussi (ou Sissi), faz referência ao chá, atribuído ao orixá da água doce. Em determinadas circunstâncias, por indicação de Oxum, o chá preto pode ser usado para lavar casas comerciais.

Toada corrente nas casas nagô-kêtu:
Obi taladê obi taladê
Um molé ô
Obi taladê

· OXUM ·

Nesta cantiga, Oxum dança como se estivesse embalando uma criança em seu colo, o que acontece também na seguinte:

Oxum é dolá iabá
A iá d'orim (bis)
Belê belê Ossãe
A iá d'orim (bis)

Determinadas cantigas servem para que os orixás façam "atos", isto é, movimentos coreográficos especiais relacionados a seus mitos e características. Oxum, que dança às vezes como se embalasse uma criança, como acabamos de ver, pode fazer outros atos. Uma cantiga do rum (seqüência cantada para o orixá incorporado dançar) de Oxum é esta:

Ié ié ié orô mi ô
Ié ié ié Oxum lorê
Abalá balá Oxum (3x)

Aqui, no último verso, que é repetido, os atabaques dobram o ritmo e Oxum segura na ponta de sua saia, rodando por vezes.

OXUM

O "banho de Oxum", momento imprescindível no rum do orixá, encena a seqüência de atos em que Oxum se ajoelha no chão, arruma suas jóias e pulseiras, olha-se no espelho e, vaidosa, banha-se no rio. Eis a cantiga do "banho de Oxum":

É d'Oxum mabé
(O)mi alá orô　　　(bis)
É d'Oxum mabé
É d'Oxum mabé
(O)mi alá orô

Uma seqüência de ijexás para Oxum:

Iê *iê*
Aieiê xorodô
Aieieô má xorô má
Fefé xorodô

Ajexá torivodum
Ajexá torivodum ô

Iá dabá orum mafé
Mafé loriô

OXUM

No seguinte ijexá Oxum dança "cortando", simulando movimento de espada:

Deuá deuá deuá
Oxum adeuá bá mi xorodô

Neste outro ijexá, de melodia rica, fala-se em *adié*, galinha, alimento de Oxum:

Iá lé rum ô
A ié gué
Iá orobi má orô
Orum aieié ô
Abadé 'rokô
Oxum adié 'rokô

Há uma cantiga, em toque diverso do ijexá, que diz que "Oxum não come galo (*aquicó*), e sim galinha":

Onipopô alami aquicó
Corô popô adié
A ié gué a ié gué
Alá min sin sin
Omoloxum sin sin   (3x)

"Ponto" (cantiga) de louvação a Oxum, na umbanda:

> Com sua saia bordada de ouro
> E seu saiote todo rendado
> Auê, mamãe Oxum, auê
> Os anjos do céu dizem amém

Nos candomblés de rito congo-angola, que cultuam Dandalunda, inkice (divindade) correspondente a Oxum, há o que chamam de cordões, séries de cantigas encadeadas em determinada ordem, próprias para os inkices dançarem. A cantiga a seguir inicia um dos cordões de Dandalunda:

> *Dandalunda maimbanda coquê*
> *Dandalunda meu quilombo caiá*

Durante a execução de seus cordões, Dandalunda exibe movimentos de dança que sugerem alguns de seus atos costumeiros – ela passeia, vai ao lago, nada, reza, mostra que é mãe, pinta-se, arruma-se. Outra cantiga de um cordão da santa:

· OXUM ·

Erê, erê dandá
Dandalunda erê dandá

Para Oxum se despedir, na umbanda:
Oxum já vai
Já vai pra Aruanda
A bênção mamãe
Proteção pra nossa banda

No candomblé do "tempo antigo", contam os mais-velhos, usavam-se algumas cantigas próprias para cada orixá se despedir no barracão. Hoje já não são cantadas com tanta freqüência, substituídas por cantigas de despedida dedicadas aos orixás de um modo geral. Eis uma cantiga para Oxum se despedir, uma "toada de unló" cantada em terreiros dos ritos nagô-kêtu e nagô de Alagoas:

Aladansin Oxum aunló
Ofererecum oferê

9 | FOLHAS

Nunca é demais lembrar a máxima dos candomblés nagôs: "*cossi euê, cossi orixá*" ("sem folha, não há orixá"). Folhas, favas, sementes, flores, frutos, raízes, galhos de árvore, resinas e seivas – todos são elementos indispensáveis no culto às divindades afro-brasileiras. Com as folhas, são cumpridos preceitos fundamentais de iniciação. Com as folhas, são consagrados os assentamentos (representações materiais dos orixás), os fios-de-conta (colares das divindades) e o jogo de búzios. Com as folhas, o povo-de-santo prepara remédios para o corpo e o espírito, na forma de banhos de descarrego ou de fortificação, de atração ou defesa, na forma de chás, infusões, garrafadas, perfumes, pós, defumações, amuletos, oferendas e ebós de toda espécie.

Lidar com folhas é ofício de muitos segredos. Cada uma delas, ensinam os antigos, tem sua *virtude* principal. Em algumas tradições, as folhas têm cantigas próprias (no candomblé nagô-kêtu, compõem um repertório denominado "sassanhe"). Podem ser usadas em separado ou em conjunto, conforme o caso, sendo considerada uma grande arte a correta "mistura" das folhas. Em algumas casas há sacerdotes especialmente preparados para a sua manipulação. Cada folha tem hora própria para ser colhida. De acordo com a folha e a finalidade de seu uso, a fase da lua também é observada. Há uma série de preceitos para se lidar com as folhas e liberar seu axé (força mágica), como rezas e cantigas – para se entrar no mato, para colhê-las, para prepará-las, para usá-las, para descartar seu bagaço depois de maceradas.

· OXUM ·

O emprego das folhas obedece a critérios muito específicos. A folha que serve para uma pessoa pode não servir para outra, principalmente por causa de seu orixá. Umas são usadas para banho (que pode pegar a cabeça ou então só do pescoço para baixo), outras não. Algumas são maceradas, outras cozidas, outras, ainda, torradas e pulverizadas. Certas macerações são utilizadas enquanto frescas; em outros casos, deixa-se fermentar o preparado, geralmente em talhas de barro, produzindo-se o que nas casas nagôs é conhecido como "abô". Às vezes, a parte da planta que serve para o ritual não é a folha, mas a raiz, a semente, a casca, a flor.

Diz-se que todas as folhas pertencem a Ossãe (ou Katendê, nas casas angola-congo). Mas elas são sempre atribuídas a alguma divindade específica. De qualquer modo, há folhas que "pegam" mais de um orixá, ou o caso de folhas próprias de uma divindade que são usadas em trabalhos dedicados a outras.

Seu uso varia de tradição para tradição, de rito para rito, e mesmo de casa para casa. A folha consa-

· OXUM ·

grada a um orixá, em certo terreiro, pode ser dada a outro em casa diferente. A mesma folha pode receber nomes diversos, de acordo com o rito – tanto o nome ritual africano quanto o nome popular. Folhas usadas para banhos, em certas casas, podem ter seu uso restrito a sacudimentos e ebós, em outras.

Há tradições que empregam um sistema de classificação de folhas, dividindo-as em "frias" e "quentes" (e mesmo "mornas" ou "neutras", em algumas casas). Nada tão simples: a folha quente de uma divindade pode ser considerada a mesma folha fria de outra.

Tomo o cuidado de fazer todas essas considerações ao apresentar uma pequena lista de folhas de Oxum. Ela é o resultado de entrevistas e conversas com sacerdotes de diversas tradições (os "antigos" ou "mais-velhos", como gosto de chamar), apoiadas pela consulta a compêndios de botânica. Assim, contém referências muitas vezes contraditórias, que não devem ser tomadas como verdade universal no vasto e frondoso emaranhado das religiões

OXUM

afro-brasileiras, cercado pelas armadilhas da tradição oral. Como costumam dizer os antigos quando são confrontados com informações contrárias à sua formação religiosa, num misto quase impossível de orgulho e humildade: "Isso aí eu não sei, meu filho. Eu aprendi assim, de outro jeito".

Alguns princípios básicos podem ser observados nesta lista. Muitas folhas de Oxum, por exemplo, são aromáticas, correspondendo ao gosto que este orixá tem por tudo que é perfumado. Outras plantas comuns, aqui, são as aquáticas, bem como as que nascem em lugares úmidos, à beira de rios, lagos e cachoeiras. Oxum "pega" especialmente – sem que isso seja regra geral – plantas de flores amarelas, sua cor predileta. São de Oxum, ainda, muitas ervas que têm uso terapêutico no combate às disfunções da menstruação e às complicações da gravidez, atribuições da mãe da água doce.

Um exemplo de amaci (banho de ervas) de Oxum foi recolhido pelo pesquisador Napoleão Figueiredo, em Belém do Pará, junto a casas de umbanda e tambor-de-mina (Figueiredo: 18). Descrevendo alguns detalhes de sua preparação, o autor aponta o uso das seguintes plantas: alecrim-do-campo (*Baccharis dracuncufolia* D.C., *Compositae*), borboleta (*Hedychium coronarium* Koenig., *Zingiberaceae*), açucena (*Lillium candidum* L., *Lilliaceae*), capim-santo (*Cymbopogon citratus* Stapf., *Gramineae*), patchuli (*Vetiveria zizamoides* Stapf., *Gramineae*), fedegoso (*Celosia cristata* L., *Amaranthaceae*) e pluma (*Matricaria officinalis* L., *Compositae*).

Vamos à lista, folha por folha:

- Abebé (*Hydrocotile bonariensis* Lam., *Umbeliferae*) – As folhas desta planta lembram o formato do leque usado por Oxum, daí seu nome (abebé significa leque, em iorubá). É também conhecida pelos nomes populares de erva-capitão, aca-riçoba, pára-sol e lodagem.
- Aberé (não classificada) – Fava utilizada em diversos trabalhos, normalmente ralada. Não confundir com o picão-da-praia, folha que tam-

bém "pega" Oxum, segundo alguns, e é conhecida pelo nome iorubá de aberé.

- Abóbora (*Cucurbita maxima* Duch., *Cucurbitaceae*) – Também conhecida como eleguedê, nos candomblés nagôs. Em algumas tradições associada a Iansã, em outras, a Orumilá, a abóbora integra oferendas e ebós destinados a várias divindades. No candomblé do rito angola, é oferecida no pé de uma árvore a Katendê (divindade correspondente a Ossãe), pedindo-se licença para entrar no mato. Nos candomblés-de-caboclo e nas casas de umbanda, é dedicada aos caboclos. Em certas ocasiões pode ser oferecida ao odu Obará-mêji, com intenção de prosperidade. Alguns tipos de abóbora, ainda, são utilizados em trabalhos de Exu. Nas casas nagô-kêtu, costuma ser euó (proibição) dos filhos de Iansã. Mas, na tradição da *santería* cubana, a abóbora é de Oxum, sendo proibida não apenas a seus filhos, mas a todos os que cultuam os orixás. Há um mito corrente em

· OXUM ·

Cuba que explica esta interdição. Depois de ter dado à luz vários filhos, Oxum estava ficando com seu ventre deformado. Desesperada, foi andando pelo mato pedindo ajuda às plantas. Quem a acudiu foi a abóbora: Oxum esfregou-a em seu ventre e ficou curada. Por isso, segundo os *santeros*, é que não se deve comer a abóbora, uma vez que ela representa o ventre.

- Alfazema (*Hyptis carpinifolia* Benth., *Lamiaceae*) – Conhecida ainda como arussó (nome iorubá), rosmarinho ou alfazema-do-brasil, esta planta é a substituta brasileira da alfazema de origem européia (*Lavanda officinalis* L., *Labiatae*), também chamada de lavanda. Suas folhas secas são usadas em defumadores, geralmente combinadas a outros ingredientes, como alecrim, incenso, mirra, benjoim, saco-saco, em misturas que variam de acordo com a finalidade da defumação. A folha fresca é empregada por alguns em banhos de atração amorosa, embora haja quem desaconselhe seu uso, com o argumento de que a alfazema pode "atrair também quem não se deseja".

- Andiroba (*Carapa procera* D. C., *Meliaceae*) – Semente da árvore de andiroba, bastante utilizada como insetífugo, é conhecida pelo povo-de-santo como fava-de-oxum. De uso ritual variado, entra na composição de atins (pós) e trabalhos diversos, reforça o axé de assentamentos e fica, em alguns casos, ao lado do jogo de búzios.
- Aperta-ruão (*Piper mollicumum* Kunth., *Piperaceae*) – Tem o nome nagô de ieiê. Usado em banhos e sacudimentos, em alguns casos com a intenção de proteger gestações complicadas.
- Árvore-da-felicidade (*Polyscias fruticosa* L., *Araliaceae*) – Arbusto ornamental, serve de "segurança" para a casa quando plantado em vasos ou canteiros. É de Oxum, para muitos, mas há quem associe esta planta a Baiani, a mãe de Xangô.
- Assa-peixe (*Vernonia polyanthes* Less., *Compositae*) – Erva muito utilizada no preparo de xaropes contra tosse e bronquite, o assa-peixe

também tem uso ritual nas casas-de-santo. Alguns, no entanto, dão esta folha para Nanã.

- Avenca (*Adiantum capillus veneris* L., *Polypodiaceae*) – Folha usada para banhos, em algumas casas; em outras, porém, seu emprego é restrito a ebós.
- Bem-me-quer (*Wedelia paludosa* D.C., *Asteraceae*) – Esta flor é usada em banhos em algumas casas de candomblé, servindo também para consagrar objetos rituais. É de Oxum, mas tem uso extensivo a diversos orixás.
- Brinco-de-princesa (*Fuchsia hybrida* Voss., *Onagraceae*) – Flor perfumada com uso em diversos trabalhos. Segundo alguns, pertence também a Oxóssi.
- Cana-de-açúcar (*Saccharum officinalis* L., *Gramineae*) – A cana, cortada em roletes, é oferecida a Oxum e Ibeji; suas folhas servem para consagrar assentamentos e objetos de Exu. Alguns mais-velhos insistem na necessidade de se conhecerem as variedades de cana próprias de cada orixá, para que não haja confusão e as

oferendas sejam bem aceitas. Tem o nome nagô de irekê.

- Canela (*Cinnamomum zeilanicum* Breyne., *Laureaceae*) – Utilizada em banhos (folhas) e defumações (cascas), recebe o nome nagô de temi. Em algumas casas, diz-se que a folha da canela é de Nanã, e não de Oxum.
- Capim-cheiroso (*Andropogon schoenanthus* L., *Gramineae*) – Conhecido também por capim-cheiroso-do-pará (e ainda como patchuli e vetiver, nomes populares que remetem igualmente a outras espécies), é usado em sachês e banhos-de-cheiro.
- Chá (*Camellia sinensis* L., *Theaceae*) – No rito nagô de Alagoas, as infusões da folha do chá são recomendadas para a lavagem de casas comerciais, entre outras finalidades. O chá pertence a Oxum, e é lembrado em uma das cantigas do repertório nagô a ela dedicado.
- Coentro-de-caboclo (*Eryngium foetidum* L., *Umbelliferae*) – Erva comumente usada como tem-

pero, é considerada euó (proibição) em algumas casas-de-santo. Ensinam alguns antigos que o coentro-de-caboclo, uma vez torrado e em pó, pode em determinadas circunstâncias ser misturado a um perfume de uso comum.

- Cravo-da-índia (*Sygyzium aromaticum* Mert et Perry, *Myrtaceae*) – Empregado em defumadores e trabalhos diversos, o cravo-da-índia é também associado a Xangô.
- Dama-da-noite (*Ipomoea alba* L., *Convolvulaceae*) – Conhecida pelo nome iorubá de alukeressê, a flor da dama-da-noite é empregada sobretudo em banhos. É associada ainda a Oxalá, em determinadas casas.
- Dinheiro-em-penca (*Pilea nummularifolia* Wedd., *Urticaceae*) – Serve para banhos e atins. É de Oxum e também de Ibeji.
- Erva-de-santa-luzia (*Pistia stratiotes* L., *Araceae*) – Também consagrada a Iemanjá e Euá, a erva-de-santa-luzia é especialmente empregada em preceitos especiais para lavar os olhos – desenvolvendo-se a vidência – e o jogo de

búzios, muitas vezes em combinação com outras folhas. Recebe nas casas nagôs o nome de ojuorô.
- Erva-doce (*Pimpinela anisum* L., *Umbeliferae*) – Usada em banhos e defumadores, atrai prosperidade, segundo uns, e favorece a intuição, segundo outros.
- Erva-vintém (*Drymaria cordata* L., *Caryophyllaceae*) – Erva também conhecida como cordão-de-sapo, recebe nos candomblés o nome nagô de ilerin ou, ainda, euê okouô (que significa "folha do dinheiro"). É de Oxum, segundo os mais-velhos, mas também está associada a Oxalá, Ossãe e Logun-Edé.
- Fava-divina (*Schizolobium parahyba* Blake, *Leguminosae*) – É a semente da árvore guapuruvu, de flores amarelas, nativa da mata atlântica brasileira. Usada na umbanda por pretos-velhos e caboclos, é conhecida em alguns candomblés como amuleto contra problemas de dentição infantil: fura-se a fava, passando-a por um cordão ver-

melho que fica no pescoço da criança. Também chamada de fava-santa ou fava-de-santa-luzia.

- Flor de laranjeira (*Citrus aurantius* L., *Rutaceae*) – Empregada em banhos de atração amorosa.
- Girassol (*Helianthus annus* L., *Compositae*) – Tido por muitos como a flor preferida de Oxum, o girassol é usado para enfeitar seus assentamentos ou a casa de seus filhos. Em alguns candomblés, é também empregado em banhos para atrair boa sorte.
- Jambeiro-rosa (*Syzygium jambolanum* D.C., *Myrtaceae*) – As sementes do jambeiro servem para o preparo de um atim (pó) que afasta negatividade e feitiços.
- Jarrinha (*Aristolochia cymbifera* Mart., *Aristolochiaceae*) – Cipó mil-homens, angelicó, papo-de-peru. Trepadeira conhecida nos candomblés também pelo nome de joconijé, ou jocojé, a jarrinha tem grande importância nas iniciações. Torrada e misturada a outros ingredientes, compõe um preparado que se destina ao preceito de "abrir fala", tornando o orixá

incorporado capaz de comunicar-se por meio da fala e de emitir seu ilá (o brado ritual).

- Levante (*Mentha citrata* L., *Labiatae*) – Conhecida em casas nagô-kêtu como eretuntun, esta folha é comumente usada em banhos. O pesquisador Eduardo Napoleão acredita que o termo eretuntun provenha do nagô *euê tutu*, que quer dizer "folha fresca" – muito embora este nome, entre os iorubás, sirva para designar genericamente verduras como o alface e o repolho. O levante, erva bastante aromática, é conhecida ainda como alevante ou levante-miúdo (este último nome é mais empregado em Salvador, para estabelecer uma distinção com a água-de-levante, nome comum entre os baianos para a folha da colônia – *Alpinia zerumbet* Burtt & Smith, *Zingiberaceae* –, de tamanho grande). Há quem diga que o levante, embora muito usado para Oxum, seja de Oxalá.
- Macaçá (*Hyptis mollissima* Benth., *Lamiaceae*) – Também chamada de catinga-de-mulata, numa

referência ao seu agradável perfume, esta folha de Oxum é muito usada em banhos.

- Mãe-boa (*Ruellia gemminiflora* H.B.K., *Acanthaceae*) – Usada em banhos, esta folha "pega" também Iemanjá e Nanã.
- Malva-rosa (*Urena lobata* L., *Malvaceae*) – Atribuída também a Oxóssi, a malva é empregada em banhos e sacudimentos. Conhecida pelo nome nagô de ilassá-omodê.
- Manjericão-miúdo (*Ocimun minimum* L., *Labiatae*) – Uma das principais folhas de Oxum nas casas nagôs, onde recebe o nome de efinrin kekerê, serve para banhos, lavagem de assentamentos e fios-de-conta, entre outras finalidades. O manjericão branco de folha larga (*Ocimum basilicum* L.) também é de Oxum (e, ainda, de Oxalá e Iemanjá), porém o de folha miúda é o seu preferido.
- Negra-mina (*Siparuna guyanensis* Aubl., *Monimiaceae*) – Para alguns, de Xangô, para outros, de Oxalá, a negra-mina é considerada a princi-

pal "folha de defesa" de Oxum no candomblé nagô de Alagoas.

- Noz-moscada (*Myristica officinalis* L., *Myristicaceae*) – Empregada em atins e defumadores. Em algumas casas está presente nos rituais fúnebres, misturada ao efum (tipo de giz) que é esfregado na testa e nos pulsos dos presentes, protegendo-os do contato com os espíritos dos mortos. Normalmente atribuída a Oxalá, a noz-moscada é associada por alguns a Oxum. Usada também em garrafadas com diversas finalidades.
- Oripepê (*Spilanthes acmella* Murr., *Compositae*) – Planta também conhecida como jambu, agrião-do-pará ou pimentinha-d'água. Seu nome é corruptela do iorubá "aurepepê". Há quem o considere a "primeira folha" de Oxum. Indispensável em muitos preceitos nas casas nagô-kêtu, esta folha é usada especialmente na preparação destinada a "abrir a fala" do orixá, misturada com a jarrinha e outros ingredientes.

Já ouvi um antigo dizer: "No meu tempo, não se fazia santo sem oripepê!"

- Oriri (*Peperomia pellucida* Kunth., *Piperaceae*) – Talvez por ser planta que goste de umidade, ou talvez por suas folhas com formato de coração, o oriri é tido por muitos como folha de Oxum, empregado em banhos, lavagem de contas e assentamentos. Mas alguns mais-velhos ensinam que o oriri, mesmo tendo uso apropriado para Oxum e seus filhos, é na verdade de Oxalá. Esta erva é conhecida também como alfavaquinha-de-cobra.
- Patchuli (*Pogostemon patchouly* Pelletier, *Labiatae*) – Um dos ingredientes da "água-de-cheiro" dos candomblés, também usada em sachês, sua folha é empregada em banhos de atração e trabalhos amorosos.
- Picão (*Bidens pilosa* L., *Compositae*) – Planta bastante comum em várias regiões do Brasil, tem largo emprego na medicina popular; seu chá combate sobretudo disfunções do fígado.

OXUM

É uma folha de Exu, também usada no preparo de atim de Oxum, torrada em panela de ferro. Conhecida ainda como picão-da-praia ou aberé (nome nagô).

- Poejo (*Mentha pulegium* L., *Labiatae*) – Usada em banhos e sacudimentos, é de Oxum e Ibeji. Muito utilizada também no preparo de xaropes contra tosse e bronquite.
- Tapete-de-oxum (*Kalanchöe gastonis bonnieri* Hamet & Ferr., *Crassulaceae*) – Sanguelavô-cabeludo. Empregado em banhos e lavagem de contas e assentamentos, usa-se também o sumo esbranquiçado que é extraído de suas folhas e caules para lustrar os objetos de Oxum.
- Tomate (*Lycopersicum esculentum* Mill., *Solanaceae*) – Em algumas casas de rito jeje, o tomate é utilizado em pratos oferecidos a Oxumarê. Nas casas do batuque do Rio Grande do Sul, de nação ijexá, o tomate tem uso corrente em comidas e oferendas dedicadas a Oxum.

- Tulipeira-africana (*Spathodea campanulata* Pal. Baeuv., *Bignoniaceae*) – Uma das poucas árvores dedicadas a Oxum, é conhecida nos candomblés pelo nome iorubá de orúru. Suas flores, utilizadas em banhos e sacudimentos, auxiliam mulheres com problemas de gravidez e crianças debilitadas.
- Vassourinha-de-oxum (*Scoparia dulcis* L., *Schrophulariaceae*) – Conhecida também pelo nome nagô de semin-semin, é utilizada em banhos e sacudimentos. Alguns têm o costume de colocar seus galhos num copo com água, sobre a mesa de jogo, para atrair bons fluidos e apurar a intuição.
- Vassourinha-de-relógio (*Sida rhombifolia* L., *Malvaceae*) – Bastante usada em sacudimentos, serve também para lavar objetos dos orixás.

Glossário

· Aberém
Bolinho de massa de feijão fradinho enrolado na folha de bananeira (ou palha de milho) e cozido no vapor, preparado com uma série de preceitos rituais.

· Abô
Preparado de folhas fermentado, geralmente em talhas de barro; por este nome é conhecido especialmente nas casas nagôs.

· Adié
Galinha.

· Adjá ou ajarim
Campainha de metal.

· Adôxu
Aquele que recebeu o oxu; é sinônimo de iniciado, nas casas nagôs.

· Adum ou uado
Espécie de pasta feita à base de milho vermelho cru, torrado e pulverizado (passa-se num moedor, depois por peneira fina), misturado com mel, azeite de dendê e uma

pitada de sal. Costuma-se oferecer esta comida a Oxum com intenção de prosperidade.

· Ágbò ou abô

Banho de folhas de Oxum.

· Aiê

A terra, o mundo sensível.

· Ajanaku egungun

Tipo especial de pente feito de marfim.

· Alabês

Ogãs cuja função principal é a de tocar os atabaques e demais instrumentos da orquestra ritual.

· Aluá

Bebida feita de milho fermentado comum a todos os orixás.

· Amaci

Banho de ervas.

· Aquicó

Galo.

· Assentamento

Representações materiais dos orixás. Também chamado de ASSENTO ou de IBÁ.

· **OXUM** ·

- Assento

Mesmo que ASSENTAMENTO.

- Atim

Pó mágico.

- Atos

Movimentos e atitudes típicas de um determinado Orixá.

- Avatares

O mesmo que QUALIDADES.

- Awos

Sacerdotes de Ifá.

- Axé

Poder espiritual, princípio de ação e transformação.

- Axoqué

Bonecas consagradas de Oxum.

- Ayabá ou aiabá ou iabá

Orixá feminino.

- Ayan

Árvore muito usada entre os iorubás na fabricação de tambores.

- Babalaô ou babalawo

Sacerdote de Ifá, especialista em práticas divinatórias.

· Banda

Tira de pano usada no vestuário ritual; falange de entidades de umbanda.

· Bará

Jogo divinatório entregue nas casas nagôs àqueles que completaram seus rituais de iniciação; o termo também distingue o orixá Exu.

· Batá

Toque que é base da roda de Oxum, muito usado também para Xangô e demais orixás.

· Bate-Folha

Tradicional candomblé baiano de nação muxicongo.

· Caboclos(as)

Espíritos de índios cultuados em quase todas as religiões afro-brasileiras.

· Cacumbu

Pedaço de faca já velha e gasta.

· Caminhos

O mesmo que QUALIDADES.

·Casa Branca do Engenho Velho

Situado em Salvador — Bahia —, é o terreiro matriz do rito nagô-kêtu.

OXUM

- **Casas-de-santo**
Terreiros.
- **Cimitarra**
Espada de lâmina curva mais larga na extremidade livre.
- **Conquém**
Nome dado à galinha-d'angola nas casas de rito angola-congo. Ver ETU.
- **Cordões**
Séries de cantigas encadeadas em determinada ordem, próprias para os INKICES dançarem.
- **Decisa**
Nome dado à esteira em que se ajoelham os filhos no rito angola-congo. Ver ENI.
- **Diáspora**
Dispersão de um povo em conseqüência de processo de escravização ou de perseguição política, religiosa ou étnica.
- **Dodobale ou adobá**
Cumprimento ritual.
- **Durra**
Uma variedade de sorgo (espécie de planta).

· Ebó

Trabalho mágico.

· Ebômi

Iniciado de grau elevado.

· Ecodidé

Pena vermelha.

· Efum

Tipo de giz.

· Egungum

Esqueleto, em iorubá; o culto aos antepassados nagôs.

· Eguns

Espíritos de ancestrais cultuados nas casas nagôs.

· Ekédi

Cargo feminino nas casas-de-santo; não incorporam, ocupando-se de várias tarefas de apoio; do ordinal iorubá "a segunda".

· Ekó

Massa de milho branco.

· Eledá

Orixá individual, que governa a cabeça de cada um.

· Eni

Esteira de palha.

· Enredo

Relações míticas.

· Erês

Divindades infantis que se manifestam nos iniciados.

· Essé

Relato mítico contido na literatura oral de Ifá.

· Etu

Nome dado à galinha-d'angola nos terreiros nagôs. Ver CONQUÉM.

· Euó

Proibição.

· Eurepepê ou oripepê

Para algumas tradições, "a primeira folha de Oxum".

· Falange de Ibeijada

As crianças da umbanda, espíritos infantis.

· Filhos-de-santo

Devotos do candomblé; nas casas nagôs, também chamados de omó-orixá.

· Fio-de-conta

Colares rituais que representam as divindades.

· **OXUM** ·

· Funfun

Branco, em iorubá; refere-se ao grupo de orixás da família de Oxalá, ligados à criação do mundo.

· Garrafadas

Preparados medicinais à base de vegetais e diversos ingredientes.

· Gente-de-santo

O mesmo que POVO-DE-SANTO.

· Guguru ou doburu

Pipocas ou "flores" de Obaluaiê, estouradas sem gordura (usa-se um pouco de areia lavada no fundo da panela).

· Iá tebexê

Quem tira as cantigas dos orixás no momento das festas.

· Iabassê

Responsável pela cozinha dos orixás.

· Ialorixá

Sacerdotisa dos cultos afro-brasileiros, autoridade máxima em um templo. Mesmo que MÃE-DE-SANTO.

· Iaô

O filho-de-santo já iniciado, mas que ainda não ganhou grau de ebômi; do iorubá iyawo, "noiva".

- Ibá

Mesmo que ASSENTAMENTO.

- Ibá de louça

Terrina de tamanho variável, normalmente pintada em tons de amarelo, que contém o otá e demais objetos consagrados.

- Ibi

Caracol.

- Ibu

Nome iorubá dado aos lugares de maior profundidade nos rios.

- Idés

Pulseiras de metal.

- Idile

Linhagens nobres de cultuadores de Oxum, na África.

- Ieiê

Mãe ou mamãe.

- Ifá, jogo de

Sistema divinatório.

- Igèdè

Cidade nigeriana próxima à nascente do rio Oxum.

- Ikô

Palha-da-costa.

- Ikoko

Urna com tampa.

- Ilá

O brado ritual emitido pelo orixá manifestado.

- Ilê Agboulá

Terreiro situado na ilha baiana de Itaparica.

- Ilê Axé Opô Afonjá

Terreiro situado em Salvador.

- Ilê Ogunjá

Antigo terreiro situado em Salvador.

- Inkice

Divindades análogas aos orixás, cultuados em terreiros bantos (angola-congo).

- Irunmalé Olomowewê

Título de divindade protetora das crianças, conquistado por Oxum.

- Itan

Nas casas nagôs, nome dado às narrativas míticas referentes aos orixás.

· **OXUM** ·

· Ixé
Mágica.
· Latipá
Comida à base de camarões secos, refogados inteiros em azeite de dendê, cebola ralada e sal, e depois envolvidos em folhas de mostarda um a um, formando trouxinhas que são cozidas no vapor.
· Leke
Local onde deságua o rio Oxum.
· Lessé egum
Nome dado aos terreiros que se dedicam ao culto dos EGUNS.
· Lessé orixá
Nome dado aos terreiros que se dedicam ao culto dos orixás.
· Lucumí
Ramo da *santería* cubana que cultua os orixás iorubás.
· Macundê
Prato preparado nos terreiros bantos à semelhança do OMOLOCUM.
· Mãe-de-santo
Mesmo que IALORIXÁ.

· **Mano de caracoles**
Na tradição da santeria cubana, conjunto de búzios em número variável que serve para a adivinhação.

· **Mão-de-jogo, ter boa**
Ser bom adivinho.

· **Merindilogun**
O número dezesseis, em iorubá; por extensão, o jogo de búzios popularmente conhecido pelos simpatizantes do candomblé, composto de dezesseis conchas.

· **Nagô-kêtu**
Subgrupo dos candomblés nagôs.

· **Obi**
Noz-de-cola.

· **Obrigação de cabeça**
Ritual destinado a fortificar espiritualmente o indivíduo.

· **Odan**
Bode capado.

· **Odidé ou odideré**
Tipo de papagaio africano com penagem predominantemente cinzenta.

· **Odu-lo-te-ilu**
Tipo de adivinhação.

· **OXUM** ·

- Odu-mêji ou abá-odu

Odu "mais velho", duplo.

- Odus

Signos do oráculo de Ifá.

- Ofá

Arco e flecha.

- Ogã

Sacerdote que não incorpora as divindades, pode se especializar nos toques rituais, nos sacrifícios ou diversas outras funções.

- Oiê nilê Oxum

Cargos rituais próprios do culto de Oxum.

- Oió

Cidade e principal sede do culto a Xangô.

- Olófin

Outro nome do Criador.

- Omi tutu

Em iorubá, "água fresca".

- Ominibu

Do iorubá "águas profundas", para alguns é nome dado a certa qualidade de Oxum.

· **Omolocum**

A principal "comida seca" de Oxum, nos candomblés nagôs; é feito com feijão fradinho cozido, ao qual se acrescenta um refogado de azeite de dendê (ou oliva), cebola ralada, camarão seco moído e sal.

· **Omó-odus**

Odus "filhos", resultado da combinação de dois diferentes abá-odus.

· **Ori**

Cabeça, em iorubá; o nome também indica o limo-da-costa, substância de origem vegetal empregada no culto a Oxalá.

· **Oriki**

Saudação ritual.

· **Orum**

O mundo espiritual.

· **Ossé**

Limpeza ritual periódica dos assentamentos de orixá.

· **Ossum**

Pó avermelhado de origem vegetal.

· **Osu**

Elegante penteado, trançado com contas e enfeitado com as penas vermelhas do ODIDERÉ.

· OXUM ·

· Otás
Seixos rolados de tamanho médio ou pequeno.

· Oxeturá
Um dos signos de Ifá cuja simbologia está associada a Oxum.

· Oxogbô
Principal local de culto ao orixá Oxum, no território iorubá.

· Oxu
Massa em forma de cone fixada na cabeça do iniciado em determinado momento de sua consagração.

Pai-de-santo
O correspondente masculino da função de MÃE-DE-SANTO.

· Paó
Saudação ritual de palmas compassadas.

· Peté
Ritual dedicado a Oxum realizado nos terreiros nagôs, também chamado de ipeté ou apeté – nome de uma comida à base de inhame oferecida ao orixá.

· Povo-de-santo
Conjunto de adeptos das religiões afro-brasileiras.

· **Qualidade de orixá**
Termo que se refere a um dos vários tipos ou personificações de um mesmo orixá.

· **Quartinha**
Pequena vasilha de barro que serve para armazenar água.

· **Quarto-de-santo**
O cômodo da casa de candomblé onde ficam os assentamentos de orixá.

· **Quizila**
Interdição ritual.

· **Sacudimentos**
Ebós com a finalidade de se descarregar energias negativas.

· **Sassanha ou sassanhe**
Ritual realizado nas casas nagôs, também chamado de "cantar folha", indispensável nas principais obrigações da casa, como no sacrifício de um animal de quatro patas ou na feitura de iaô.

· **Uáji**
Pó azulado extraído da anileira.

· **Zelador-de-santo**
O mesmo que PAI-DE-SANTO.

Referências bibliográficas

AUGRAS, Monique. *O duplo e a metamorfose*. Petrópolis: Vozes, 1983.

BARROS, José Flávio Pessoa de; NAPOLEÃO, Eduardo. *Ewé òrìṣà* – uso litúrgico e terapêutico dos vegetais nas casas de candomblé jeje-nagô. Rio de Janeiro: Bertrand Brasil, 1999.

BEATA DE YEMONJA, Mãe. *Caroço de dendê* – a sabedoria dos terreiros; como ialorixás e babalorixás passam conhecimentos a seus filhos. Rio de Janeiro: Pallas, 1997.

CARMO, Wanderley do; CRUZ, Robson Rogério. *Oyè* – cargos no candomblé (rito *nàgó-yorùbá*). Rio de Janeiro: impresso por computador pessoal, sem data.

CARVALHO, José Jorge de. *Cantos sagrados do Xangô do Recife*. Brasília: Fundação Cultural Palmares, 1993.

DE CAMILLIS, Carlos Alexandre. *Doze cravos para Xangô*. Rio de Janeiro: ed. do autor, 2002.

DE OLOFIN AL HOMBRE. Texto cubano apócrifo, de autoria atribuída a Amadeo Piñeiro Nápoles e Félix R. Espinosa. Impresso por computador pessoal, sem data.

FIGUEIREDO, Napoleão. *Banhos de cheiro, ariachés & amacis*. Rio de Janeiro: Funarte/Instituto Nacional do Folclore, 1983.

LAKESIN, Ladekoju. *Yeye Omi O; great mother of the waters*. EUA (Nashville): Orisha Enterprises, 1991.

LOPES, Nei. *Dicionário banto do Brasil*. Rio de Janeiro: Secretaria Municipal de Cultura e Centro Cultural José Bonifácio, 1995.

PRANDI, Reginaldo. *Mitologia dos orixás*. São Paulo: Companhia das Letras, 2001.

ROCHA, Agenor Miranda. *Caminhos de Odu*. Rio de Janeiro: Pallas, 1999.

SANTOS, Juana Elbein dos. *Os nàgó e a morte*. Petrópolis: Vozes, 1986.

TAVARES, Ildásio. "Oriki, oyê, orukó", em *Faraimará, o caçador traz alegria*: Mãe Stella, 60 anos de iniciação. Organização Cléo Martins e Raul Lody. Rio de Janeiro: Pallas, 2000.

VERGER, Pierre Fatumbi. *Orixás*. São Paulo: Corrupio e Círculo do Livro, 1981.

_____."A contribuição especial das mulheres no candomblé do Brasil", em *Artigos*. Tomo I. São Paulo: Corrupio, 1992.

_____. "Grandeza e decadência do culto a Ìyàmi Òṣòrọ̀nga (Minha Mãe Feiticeira) entre os yorùbá", em MOURA, Carlos Eugênio Marcondes de (org.). *As senhoras do pássaro da noite*. São Paulo: Axis Mundi e Edusp, 1994.

_____. *Notas sobre o culto aos orixás e voduns*. São Paulo: Edusp, 1999.

VOGEL, Arno; MELLO, Marco Antonio da Silva; PESSOA DE BARROS, José Flávio. *A galinha d'angola*; iniciação e identidade na cultura afro-brasileira. Rio de Janeiro: Pallas, 1993.

Sobre o autor

Luís Filipe de Lima, carioca de 1967, é músico, jornalista, escritor e professor. Doutor em Comunicação e Cultura pela Escola de Comunicação da UFRJ, apresentou tese orientada por Muniz Sodré sobre música brasileira. É Mestre também pela ECO/UFRJ, onde defendeu dissertação a respeito da música dos terreiros afro-brasileiros. Graduou-se jornalista na mesma Escola. Em parceria com Muniz Sodré, escreveu *Um Vento Sagrado – história de vida de um adivinho da tradição nagô-kêtu* (Mauad, 1996), sobre o oluô Agenor Miranda Rocha.

Violonista, compositor, arranjador e produtor musical, idealizou e dirigiu as séries de espetáculos musicais *Partido-Alto: Samba de Fato* (Centro Cultural Banco do Brasil/RJ, 2003), *Sete Cordas: Um Violão Brasileiro* (CCBB/SP, 2003), *Lupicínio* (CCBB/DF, 2003 e CCBB/RJ, 2004), *Lamartine em Revista* (CCBB/RJ, 2004), *Ismael Silva: Deixa Falar* (CCBB/RJ, 2005), *Samba Guardado – 70 sambas inéditos de ontem e de hoje* (CCBB/RJ, 2006), *Samba de Breque e outras bossas* (CCBB/DF, 2006 e CCBB/RJ, 2007) e foi responsável pela coordenação musical de *Brasil de Todos os Sambas* (CCBB/RJ, 2004 e CCBB/SP, 2005). Dirigiu quatro caravanas de shows do Projeto Pixinguinha (Funarte/Petrobras) em 2005 e 2006.

É produtor de discos, autor de trilhas para cinema (entre elas a do longa-metragem *Poeta da Vila*, sobre a vida de Noel Rosa) e diretor musical de espetáculos teatrais, com destaque para *Sassaricando – e o Rio inventou a marchinha*, de Sérgio Cabral e Rosa Maria Araújo, que estreou no Rio de Janeiro em 2007, com grande sucesso.

Músico profissional desde 1987, Luís Filipe vem acompanhando ao violão de sete cordas sambistas como D. Ivone Lara, Elton Medeiros, Nei Lopes, Beth Carvalho, Martinho da Vila, Wilson Moreira, Elza Soares, Nelson Sargento, Bezerra da Silva e Monarco. Apresenta-se nos desfiles do Simpatia É Quase Amor e do Suvaco do Cristo, blocos carnavalescos cariocas. Na área do choro, tem atuado ao lado dos solistas Henrique Cazes, Pedro Amorim, Dirceu Leite, Eduardo Neves, José Paulo Becker e Nicolas Krassik, entre muitos outros.

Desde 1989 é ligado à casa da falecida ialorixá carioca Antonietta Alves (Babamin), cujo babalorixá foi Agenor Miranda Rocha.